D1415668

Académie de Golf PGA National

LE MANUEL DU GOLF POUR TOUS

Première édition : Carlton Books, 2001

ISBN 2 268 04257 X

Dans la même collection et par les mêmes auteurs :
Améliorez votre golf, 2000
Les Bases du golf féminin, 2001
Les Bases du golf senior, 2002

Note : Pour la commodité de la présentation, les textes et photos sont présentés à l'intention des droitiers. Ils s'appliquent évidemment aux gauchers, qui devront simplement substituer la droite à la gauche, et inversement.

Remerciements
Nous remercions Kathryn Maloney pour sa contribution en tant que directrice du projet. Professeur de golf au Ironhorse Country Club de West Palm Beach (Floride), Kathryn est aussi journaliste de golf indépendante.

Crédits photo
Photos de Marc Feldman à l'exception des photos de Kathryn Maloney en pages 89 (en haut), 103, 104 et 107. Photos pages 181–184, 186 et 188 de Allsport (Jon Ferrey).

Académie de Golf PGA National

PGA NATIONAL

LE MANUEL DU GOLF POUR TOUS

MIKE ADAMS ET T.J. TOMASI, AVEC KATHRYN MALONEY

TRADUIT DE L'AMÉRICAIN PAR DENYS LÉMERY

ÉDITIONS DU ROCHER
Jean-Paul Bertrand

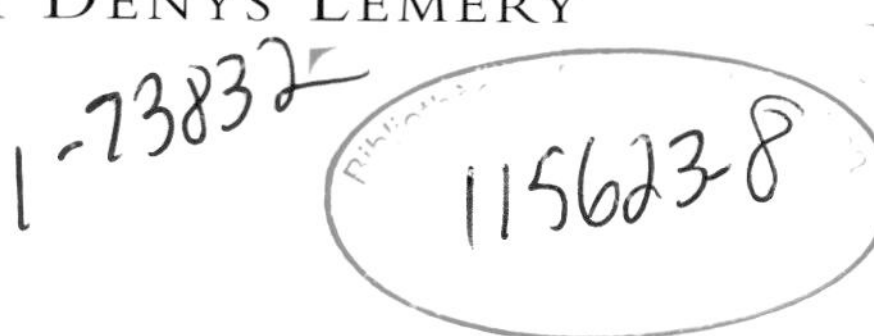

Sommaire

10
LA COSTA
450 yds.
PAR 4

Introduction

En simplifiant, jouer au golf consiste à envoyer une petite balle élastique dans une série de trous successifs précédés de différents obstacles et disposés de manière irrégulière, grâce à des outils appelés clubs. Il s'agit de frapper le moins de coups possibles, sur un terrain vaste, de formes variées, et dans n'importe quelle condition climatique. Il n'existe aucun sport où la différence soit aussi grande entre la dimension du terrain et celle de l'objectif (le trou).

Le golf se différencie également des autres sports dans la mesure où il ne réclame pas un physique exceptionnel : il n'est pas nécessaire de mesurer 2 m, de peser 90 kg et de courir le 100 m en moins de dix secondes. On peut exceller au golf sans les attributs naturels essentiels à la plupart des autres sports. Un golfeur doté d'un bon petit jeu peut rivaliser avec n'importe qui, même s'il n'envoie pas la balle à des kilomètres. Et le fait qu'un putt d'un mètre ait autant d'importance sur le score qu'un drive de 300 m est à la fois fascinant et frustrant. Dans tous les sports où l'on rencontre un adversaire, nos actions sont tributaires des siennes. Ce qu'il réalise affecte notre propre performance. La qualité de dribble d'un footballeur affecte le comportement du défenseur, la qualité du service au tennis influence la réponse de celui qui le reçoit.

En golf, chacun est responsable de ce qui lui arrive. Selon les règles, la balle est immobile avant que vous la mettiez en route et la réussite du coup dépend de vos seules capacités, parfois aussi d'un peu de chance. Pas d'entraîneur ni de coéquipier pour vous blâmer ou vous secourir quand rien ne va plus. Vous êtes responsable de vos décisions et de vos actions, et c'est ce qui donne au jeu son caractère exceptionnel. Pendant une partie de golf, le swing réclame toute votre attention, mais vous avez le temps de faire plein d'autres choses. En quatre heures et demie, si vous jouez 90 coups – chacun prenant moins de deux secondes – vous allez effectivement manier un club pendant 2 minutes 22 secondes. Ce qui vous laisse environ 4 heures et 27 minutes pour vous détendre, apprécier la compagnie de vos partenaires et les beautés de la nature...

Personne n'est parfait

En golf, on cherche la perfection sans jamais pouvoir l'atteindre. Le golf est un jeu de cible où la nature des cibles implique de (souvent) les manquer. Dans un jeu réclamant beaucoup de précision et de régularité, la plus petite altération du swing a des effets significatifs sur le vol de la balle. Si vous la frappez un centimètre à l'extérieur du point idéal sur la face du club, vous perdez facilement trente mètres. Alors, souvenez-vous bien qu'espérer des performances impeccables dans un jeu laissant si peu de marge d'erreur ne peut que vous frustrer davantage.

Certes, vous ne pouvez pas atteindre l'idéal, cependant, plus les mécanismes de votre mouvement seront solides, plus vos balles auront tendance à aller dans la direction souhaitée. C'est pourquoi il est essentiel de donner une forme techniquement correcte à votre swing, ce qui vous permettra de jouer sinon parfaitement, du moins avec une certaine régularité.

Un bon schéma de swing

La plupart des joueurs ne prennent malheureusement pas le temps pour construire un swing en respectant un schéma général. Ils sont avant tout préoccupés par la recherche de remèdes rapides. Ils veulent dénicher un "truc" qui leur permettra d'envoyer leur balle loin et droit, mais ils ne font que poser un emplâtre sur leur swing. Leur "truc" sera efficace un jour et pas le lendemain.

Vous jouerez mieux en suivant une procédure patiente d'apprentissage, pas à pas, qui donnera à votre swing une forme basée sur les incontournables fondamentaux d'un bon jeu de golf.

L'apprentissage

Comment apprendre à mieux jouer ? La science nous enseigne que la manière la plus efficace d'apprendre une technique aussi difficile que celle du golf consiste à diviser le swing en séquences facilement gérables individuellement, et à en travailler une seule à la fois. Voici comment procéder :

- D'abord, identifiez l'exemple de ce que vous voulez accomplir, dans votre domaine. Ce peut être au tennis le service de Pete Sampras, au football la technique du coup franc de Michel Platini ou au golf le grip de Jack Nicklaus.
- Une fois achevée l'étude de votre modèle, essayez de mettre en œuvre une procédure d'essais et de corrections successives, qui vous rapprochera progressivement du modèle choisi.
- Une fois perfectionnée votre imitation, répétez la procédure jusqu'à ce qu'elle devienne une habitude, et que vous l'exécutiez automatiquement. Pour prendre le grip par exemple, vous finirez par placer parfaitement les mains sans même y penser. Chuck Hogan, conseiller de nombreux joueurs professionnels, considère qu'il faut répéter un geste soixante fois par jour pendant 21 jours pour qu'il pénètre dans la mémoire musculaire.

Quelle que soit la valeur de ces chiffres, certains champions tels que Greg Norman ou Larry Nelson ont réussi à construire leur swing pièce par pièce, en suivant les instructions d'un livre de technique.

Au sommaire de ce livre

Dans les chapitres suivants, vous apprendrez à mieux jouer au golf grâce à une approche méthodique, étape par étape.

■ **Les chapitres 1 et 2** vous expliquent les grandes séquences du swing, la routine et les mécanismes précédant le coup : le grip (prise du club), le stance (écartement et position des pieds), l'orientation et l'alignement. Tous ces éléments favoriseront un mouvement séquentiel alors même que le club n'a pas encore bougé.

Et comme il faut parfois regarder les flèches plutôt que l'archer, nous vous aiderons à sélectionner le bon matériel en passant en revue l'équipement de golf, qu'il s'agisse des clubs ou des balles. Vous aurez ainsi tous les éléments en main pour prendre une décision.

■ **Les Chapitres 3 à 5** décrivent la séquence du swing de golf, en passant en revue les quatre parties principales : le backswing (la montée), le downswing (la descente), la position à l'impact et la traversée après l'impact.

Pour compléter cette instruction générale sur le plein swing, nous étudierons de manière détaillée comment jouer le driver, les longs fers, les bois de parcours, les fers moyens et les petits fers, mais aussi les techniques pour donner des effets latéraux à la balle.

Et comme nous sommes persuadés que l'on peut apprendre son swing en copiant celui des autres, nous vous proposons quelques séquences détaillées des swings de plusieurs joueurs expérimentés, qui peuvent servir de prototypes à vos recherches d'un modèle personnel.

■ **Les chapitres 6 et 7** présentent les coups spéciaux utiles sur un parcours, qui demandent à la fois de l'imagination et certains réglages du stance et du mouvement. Dans cette section, nous vous expliquerons comment jouer une balle sous les branches d'un arbre, quand et comment la faire rouler vers le drapeau, comment vous sortir des situations délicates, que faire lorsque la balle est plus haut ou plus bas que vos pieds.

■ **Les chapitres 8 à 11** sont consacrés au petit jeu. Le pitching, le chipping, les sorties de bunker et le putting constituent un compartiment essentiel du jeu car 65 pour cent des coups de golf se jouent à moins de 100 m du drapeau.

■ **Les chapitres 12 à 18** présentent le jeu de golf proprement dit : comment établir une stratégie sur le parcours ? où placer votre balle ? quelle sorte de coup jouer selon les conditions de jeu (temps, positions de drapeau, situation de la balle, etc) ? ainsi que les différentes formules de jeu (match direct ou partie par coups). Pour bien jouer au golf, la gestion de sa propre personnalité et de ses possibilités est aussi importante que la gestion du parcours, c'est pourquoi nous avons inclus ici une section sur le "jeu intérieur".

On dit souvent que l'entraînement rend parfait, mais ce n'est en réalité possible que si l'entraînement lui-même est parfait. C'est pourquoi nous vous proposerons pour finir quelques méthodes d'entraînement qui vous permettront de progresser plus vite.

En résumé

Comme vous venez de le constater, le propos de ce livre est uniquement de vous aider à mieux jouer. En définitive, votre progression dépend de votre propre volonté de prendre en charge votre apprentissage. Au golf, le progrès est un processus d'évolution graduel et continu. Notre objectif est de vous guider dans la bonne direction.

Les auteurs

T.J. Tomasi dirige la Players School à l'Académie de PGA National en Floride. Avec plus de vingt ans d'expérience de l'enseignement, c'est l'un des enseignants les plus régulièrement publiés dans le monde, et il a été rédacteur principal pour l'enseignement auprès de *Golf Illustrated* et *Golfing Magazine*. Il est diplômé en éducation.

L'Académie de Golf de PGA National à Palm Beach Gardens (Floride) est l'une des écoles de golf les plus performantes des États-Unis. Elle offre aux élèves un accès aux meilleurs enseignants, qui disposent d'installations d'entraînement hors-pair et des plus récentes technologies.

Mike Adams, ancien joueur de la PGA, est Directeur de l'Académie de Golf à PGA National à Palm Beach Gardens (Floride). Connu dans le monde comme "Docteur Swing", Adams possède un œil exercé pour repérer les fautes du swing, et de nombreux témoignages attestent de son aptitude à les réparer. C'est l'un des enseignants les plus recherchés des États-Unis, il donne plus de 3.000 leçons individuelles chaque année. Les vedettes d'Hollywood qui lui doivent leurs progrès sont notamment Jack Nicholson, Willie Nelson et Michael Douglas. En mars 1995, il a fait travailler le président Bill Clinton tout comme l'ancien président Gerald Ford. *Golf Magazine USA* l'a récemment consacré parmi les 100 meilleurs professeurs des États-Unis. Il a écrit de nombreux articles, notamment pour *Golf Magazine USA*, *Golf Digest* et *Golfing*.

Chapitre un

Le matériel

Depuis plus de dix ans, des analyses assistées par ordinateurs, reliés à des caméras et autres instruments de mesure, ont permis de mieux connaître les effets des spécifications des clubs de golf sur le vol d'une balle (loft et lie par exemple). Les résultats sont clairs : apprendre à manier correctement le club dépend directement de celui-ci.

Pour optimiser les performances, le matériel et les balles doivent convenir aux caractéristiques personnelles, notamment la vitesse de swing, la force physique et la morphologie. Si vos manches de club sont trop raides, vous garderez le poids du corps à droite afin de pouvoir lever la balle. Inconsciemment, vous aurez introduit une erreur dans votre swing pour compenser les mauvaises caractéristiques du club.

Parmi les innovations récentes, le putter à long manche, joué ici par Bruce Lietzke.

Caractéristiques des clubs

Les spécifications qui ont le plus d'effet sur le swing sont l'angle vertical, la longueur de club, la raideur du manche, l'ouverture et le poids du club.

L'angle vertical (le "lie")

On le mesure selon une ligne allant du milieu du manche jusqu'au sol lorsque le club est posé à terre avec la semelle bien à plat. Voici les deux aspects du lie :

- L'angle vertical formé par le club posé au sol.
- L'angle effectif formé pendant le swing au moment où le manche revient vers le sol à l'impact, ce qui amène la pointe du club plus près du sol qu'à l'adresse. C'est l'aspect dynamique du lie : aussi, en position statique, on détermine l'angle idéal quand la pointe du club est légèrement relevée.

Note : si le lie n'est pas bon, vous le constaterez par vos divots. S'ils sont plus profonds à hauteur de la pointe, le lie est trop plat ; s'ils sont plus profonds à hauteur du talon, le lie est trop vertical.

Un mauvais "lie"

Si l'angle de club est trop vertical à l'adresse, la balle va à gauche de l'objectif. S'il est trop plat, la balle va à droite de l'objectif, à condition bien sûr d'être correctement aligné à l'adresse. Avec des clubs mal adaptés, une faute de swing est vite arrivée. Si votre swing est bon et que la balle termine malgré tout régulièrement à droite de la cible, vous aurez rapidement le réflexe de donner des coups d'épaule afin de ramener la balle vers la cible. En revanche, si votre balle va à gauche, vous allez bloquer les mains pour guider la balle vers l'objectif.

Il est important de noter que si l'angle du club à l'adresse peut paraître bien adapté quand on se trouve en position statique, en mouvement, cet angle de la face du club par rapport au sol va se trouver modifié en fonction de la vitesse du mouvement, de la force physique et de l'action des mains à l'impact. Il n'existe qu'une seule façon de vraiment adapter le club à vos caractéristiques propres, c'est d'essayer des clubs de manière dynamique en tapant des balles. C'est une partie essentielle du processus d'adaptation du club à vos mesures, il est crucial pour choisir de bons outils.

Clubs plats *et verticaux*

On dit que le club est trop plat quand c'est la pointe qui redescend vers le sol. Quand elle va vers le ciel, le club est trop vertical. Afin de ramener correctement la tête de club le long du sol, vous devez régler le club à l'adresse. On peut modifier avec une machine l'angle vertical du club, pour l'adapter exactement à votre profil.

En allongeant le manche de club, vous devez vous éloigner de la balle et la tête de club devient plus verticale (pointe vers le haut). En le raccourcissant, vous devez vous rapprocher et la pointe redescend vers le sol. En règle générale, en ajoutant un inch (environ 2,5 cm) au manche, le "lie" devient plus vertical d'un degré.

1 Avec un angle correct, la tête de club est face à l'objectif.

2 Si l'angle (le "lie") est trop vertical, le club sera dirigé à gauche.

3 Si l'angle est trop plat, le club sera dirigé à droite.

La longueur de club

Toutes choses égales par ailleurs, plus le manche est long, plus la balle ira loin. Vous devez cependant faire un compromis : avec un club long, il est plus difficile de ramener correctement (square) la face de club, et si la balle n'est pas frappée avec un bon contact, vous perdez de la distance.

Parallèlement à ces sensations, vous pouvez aussi couvrir la face de club d'un ruban adhésif ou de craie afin de déterminer si vous frappez bien au centre. Pour définir la longueur idéale, tapez dix balles avec chaque longueur de club, en deux séances différentes et observez chaque fois la marque d'impact. Si le pourcentage de frappes mal centrées est supérieur à 30 pour cent, le manche est trop long.

Caractéristiques des clubs *suite*

Les drivers *extra-longs*

Les drivers traditionnels avaient un manche de 43 inches avec une ouverture de 11° environ. Aujourd'hui, ces manches sont plus longs grâce à de nouveaux matériaux légers. Un driver de 52 inches a fait de Rocky Thompson l'un des plus longs joueurs du Circuit Senior. Des études ont montré qu'en allongeant un driver de 2 inches (environ 5 cm), on augmente la vitesse de swing de 7 km/h et la distance de plus de 12 m. Ce processus peut en revanche être trompeur, car il suffit de changer une spécification pour modifier toutes les autres.

Longueur de club *suite*

Si vos clubs ne sont pas de la bonne longueur, vous risquez d'avoir des problèmes d'équilibre. Cette longueur influe sur la qualité de la posture, qui en retour donne un bon équilibre en mouvement. Vous devrez compenser la longueur excessive des manches en vous tenant plus droit, avec le poids sur les talons et les bras raidis. En revanche, avec des clubs trop courts, vous vous pencherez trop, avec le poids sur les pointes des pieds.

1 Des clubs trop longs entraînent une position trop verticale et rigide.

2 Des clubs trop courts obligent à être trop penché sur la balle.

Raideur des manches

Lorsque le manche est en mouvement, sa flexion détermine la position de la tête de club à l'impact. Si le manche est trop souple, il est difficile de la ramener correctement. S'il est trop raide, il ne se pliera pas assez, et la face de club sera ouverte à l'impact.

En général, les golfeurs ont des manches de club trop raides. L'idéal, c'est d'avoir le manche le plus souple possible sans que la balle vole pour autant de tous les côtés. Si vos coups partent bas et à droite, les manches sont trop raides. Si vos trajectoires sont imprévisibles, que certaines balles partent à gauche et d'autres à droite, le manche est probablement trop souple.

L'ouverture (le "loft")

Sans entrer dans la technique, on peut décrire l'ouverture comme l'orientation plus ou moins prononcée de la face vers le ciel, qui a un effet majeur sur la hauteur et la trajectoire des coups de golf. Il est difficile de transférer l'énergie en équilibre et au bon moment quand l'ouverture du club est trop faible, car il faut alors opérer des ajustements inconscients pour "lever la balle".

À l'opposé, une ouverture trop importante réduit la distance et encourage l'overswing. On "ferme" ou on "ouvre" la tête de club pour ajuster son ouverture. On "ferme" un pitching-wedge en ramenant par exemple son ouverture de 56 à 54°, ce qui permet de faire des balles plus basses et plus longues. En "ouvrant", on obtient au contraire des balles plus hautes.

Le poids

Le poids total d'un club est son poids objectif, par exemple 370 g. Si le club est trop lourd, vous perdez le contrôle du swing. S'il est trop léger, vous ne sentez pas le club.

Le poids en mouvement (swingweight) est la relation entre la longueur du club et le poids de sa tête. La répartition du poids détermine la "sensation" de la tête de club. Pour avoir des sensations constantes, le poids en mouvement devrait être le même pour chaque club, bien que le poids réel change d'un club à l'autre, le sandwedge étant le plus lourd.

Il existe d'autres paramètres, mais l'angle vertical, l'ouverture, la longueur, la flexion et le poids sont les plus importants. S'ils sont bien adaptés à vous, les clubs peuvent vous offrir l'équilibre, le tempo, le transfert d'énergie nécessaires pour envoyer la balle vers l'objectif. La meilleure façon de choisir des clubs est de les essayer et de les faire régler pour vous seul. En d'autres termes, allez voir un véritable expert.

Longueur, lie et loft

Note : Le standard n'est pas toujours standard.

	longueur en inches	lie en degrés	loft en degrés
Bois			
Driver	43 et +	55	11 à 13
3	42	57	13 à 16
4	41	58	16 à 19
5	40	59	19 à 21
7	40	60	25 à 27
Fers			
1	39.5	58	17
2	39	59	21
3	38.5	60	25
4	38	61	29
5	37.5	62	33
6	37	63	37
7	36.5	64	41
8	36	65	45
9	35.5	66	49
PW	35	67	53
SW	35	67	57

Le contrôle *du poids*

Le poids général du club est aussi important que la répartition du poids (le swingweight). Des clubs trop lourds provoquent des erreurs de swing. Une bonne façon de savoir si c'est le cas est de vous remémorer vos cinq derniers parcours et de vous souvenir si le club devenait plus "lourd" à mesure que la partie avançait. Si le poids de vos clubs est correct, vous ne remarquerez aucune différence de poids entre le début et la fin du parcours.

Un autre signe révélateur d'un club trop lourd, c'est l'overswing, où l'on perd le contrôle du club au sommet de la montée, celui-ci pointant alors à droite de l'objectif. Si vous apercevez, à ce moment du swing, la tête de club au coin de l'œil gauche, faites vérifier vos clubs.

Il est très agréable de se voir offrir des clubs, mais encore faut-il qu'ils soient bien adaptés, surtout si vous êtes une femme ou un junior et que vous héritiez de clubs "hommes". Essayez-les toujours avant d'acheter, si séduisante que soit l'offre.

Dans *votre sac*

Pour exprimer votre potentiel, il faut au minimum un bon équipement et un solide swing. Vous pouvez plus encore progresser en adaptant votre équipement aux caractéristiques d'un parcours et aux conditions de jeu.

Sans oublier que vous avez droit en compétition à un maximum de 14 clubs, nous vous conseillons d'avoir des clubs "spécialisés" et de compléter votre équipement principal selon ce que vous allez affronter. Pour enrichir votre armement, vous pouvez ainsi avoir plusieurs wedges avec des ouvertures et des profils de semelle différents, plusieurs bois de parcours comme le cinq, le sept ou le neuf, un driver à manche très long, un chipper, un fer de driving spécial, et plusieurs putters.

Caractéristiques des clubs *suite*

Pour faciliter le jeu

La répartition périphérique du poids, c'est le fait de retirer du poids sur l'arrière de la face pour le reporter tout autour de la tête de club. Ainsi, la torsion est réduite au moment de l'impact quand on centre mal la balle au moment de la frappe : avec des lames traditionnelles, ce genre de contact provoque une perte de distance et de direction.

Cette répartition du poids a été rendue plus efficace encore grâce à des matériaux nouveaux comme le titanium qui ont permis de réaliser de plus grosses têtes (oversize) sur les bois et les fers. La légèreté et la dureté de ces matériaux ont permis aux fabricants de placer plus de poids sur la périphérie des têtes de clubs et d'en augmenter le volume. Une tête de club traditionnelle en acier pèse 200 grammes, alors que la même en titanium n'en pèse que 120. On peut disposer ainsi de 80 grammes supplémentaires pour faire des têtes plus volumineuses, et qui pardonnent mieux les erreurs de centrage de la balle, permettant ainsi de faire des balles plus droites.

À gauche, "grosse" tête à répartition périphérique du poids pour faciliter le jeu. Au centre, tête de taille standard mais à poids périphérique. À droite, lame forgée traditionnelle, préférée par les meilleurs joueurs pour les sensations et le retour d'informations sur la qualité de frappe.

Vitesse de swing et spécifications des clubs

La vitesse de club est définie par la vélocité de la tête de club dans les dix centimètres précédant l'impact. Chaque 1,5 km/h de plus permet de gagner environ trois mètres.

Vitesse de swing	Flexion	Point de flexion	Types de joueurs
très lent < 100 km/h	très souple	très bas	Seniors dames et super Seniors hommes
lent < 130 km/h	souple ("A") ou senior	bas	Dames et Seniors hommes
moyen < 150 kmh	Regular-Firm	moyen	Amateurs hommes et Pros seniors et dames
rapide < 175 km/h	Firm-Stiff	haut	Pros hommes et dames, Amateurs très puissants
très rapide > 175 kmh	Stiff-Extra stiff	très haut	Pros très puissants, concours de drives

Note : selon les fabricants, les désignations de flexion des manches peut changer.

Quelle balle utiliser?

L'enveloppe des balles est généralement réalisée en matériaux de type Surlyn ou Balata. Les joueurs moyens préfèrent le Surlyn pour sa solidité, et les professionnels le Balata parce qu'il permet plus d'effets, en particulier pour les effets latéraux et les trajectoires plus ou moins hautes.

Construction des balles

Les balles 2-pièces ont des noyaux solides et une enveloppe externe. Les balles 3-pièces ont un noyau liquide entouré d'un bobinage caoutchouc (comme une pelote de laine) recouvert d'une enveloppe externe Surlyn ou Balata. Les 2-pièces ont un faible taux d'effets, ce qui augmente la distance, et les rend moins sujettes aux effets latéraux produisant slices et hooks.

L'apparition du Lithium Surlyn (un matériau plus souple) a permis d'offrir de meilleures sensations et un meilleur taux d'effets, et de réduire les différences entre les 2 et les 3-pièces. De plus en plus, les joueurs choisissent leurs balles en fonction de leur taux d'effets, c'est-à-dire de la vitesse de rotation autour de l'axe.

- Pour contrôler et travailler la balle, prenez une balle à enveloppe souple et taux d'effets élevé.
- Pour gagner de la distance, faire des balles hautes et qui roulent, prenez une balle 2-pièces à faible taux d'effets (elle sera aussi plus résistante).
- Pour un bon compromis, prenez une balle à enveloppe solide avec taux d'effets moyen.

Actuellement, il est parfaitement possible d'adapter votre balle aux types de coups désirés, exactement comme un champion de ski adapte ses skis à la qualité de la neige.

Les alvéoles

Au cours de la préhistoire du golf, les joueurs ont constaté qu'une balle lisse souvent frappée avait tendance à mieux voler: ce fut l'origine des alvéoles. Les éléments clés sont leur profondeur, leur diamètre, leur nombre et leur forme. En modifiant ces paramètres, les fabricants proposent différentes distances, trajectoires ou effets, ce qui permet, là encore, de chercher ce qui vous convient le mieux.

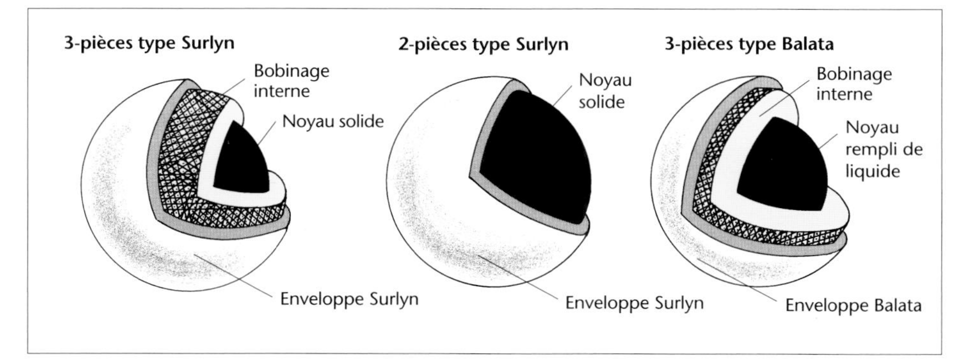

Spécifications *et performances*

Options de taux d'effets

Travail de balle	
3-pièces Balata (courbes volontaires)	*élevé*
Réduction slice et hook	
2-pièces Surlyn	*bas*
Distance	
2-pièces Surlyn	*bas*
Qualité au petit jeu	
3-pièces Balata	*élevé*
Trajectoires	
hautes = Surlyn	*élevé à moyen*
basses = Balata	*bas*
Compromis distance et direction	
3-pièces Surlyn	*moyen à élevé*

Note: Les différents mélanges type Lithium Surlyn peuvent parfois produire des taux d'effets très élevés.

Les balles de golf paraissent toutes identiques, mais leurs constructions peuvent être très différentes. Voici à gauche une balle 3-pièces type Surlyn, au centre une 2-pièces type Surlyn et à droite une 3-pièces type Balata. Vous pouvez améliorer vos scores en choisissant la balle qui convient le mieux à votre jeu et aux conditions du jour.

Adapter
son driver

Si vous jouez un parcours étroit, jouer un driver au manche raccourci peut être un avantage. Vous allez sacrifier de la distance, mais vous n'irez ni dans les bois ni dans les obstacles. Jack Nicklaus a joué la plus grande partie de sa carrière avec un driver raccourci, et souvent même joué bois trois du départ.

Le choix du matériel

On peut sommairement classer les parcours de golf en trois catégories :

1. Parcours "de drives"
2. Parcours "de seconds coups"
3. Parcours d'approches

Les parcours de drives

On peut les caractériser par le fait que les zones d'arrivée de drives sont étroites et bordées d'obstacles. Le coup de départ doit être précis. Les greens sont souvent vastes et accueillants.

Exemples

On peut citer parmi les grands exemples Royal Lytham en Angleterre, Carnoustie en Ecosse, Les Bordes en France, Oak Hill à New York.

En bord de mer, ou quand les parcours ne sont pas très arrosés, vous trouverez souvent les fairways secs et fermes en surface. Ces conditions peuvent vous inciter à préférer le bois trois au driver. Il vous permet d'aller loin, et comme les balles volent plus haut et s'arrêtent plus vite, vous avez moins de chance de les voir finir dans les roughs que si vous utilisez un driver.

Sur ce type de parcours, la difficulté consiste à toucher le plus de fairways possible. Un fer un est sans doute difficile à jouer sur le parcours, mais il peut être très utile au départ d'un trou. L'objectif étant avant tout la précision, vous pouvez lui faire confiance pour rester en piste, même si vous faites un coup moyen.

Vous devez aussi tenir compte de la hauteur du rough. Un rough assez tondu est peu dangereux, et le parcours sera en fait plus "large" qu'il n'y paraît. En revanche, si le rough est très haut, jouer le bois trois ou un long fer au départ peut être le choix le plus sage, même si le fairway paraît large *a priori*.

Les parcours de seconds coups

Les greens difficiles à toucher sont généralement précédés de fairways assez larges, mais les parcours "de seconds coups" exigent de longs drives. Si la mise en jeu n'est pas votre point fort, essayez un driver rallongé pour faire plus de distance. Un manche plus long augmente l'arc du swing, la vitesse de la tête de club et donc la longueur. Mais comme il est aussi théoriquement plus difficile dans ces conditions de ramener correctement la tête de club, assurez-vous que cela ne vous pose pas de problèmes.

Exemples

Pebble Beach en Californie, St Andrews en Écosse et nombre de parcours de Jack Nicklaus relèvent de ce type de parcours "de seconds coups".

Avant de vous précipiter au départ, étudiez les conditions de jeu. Si le temps est humide, le parcours sera "plus long". Quand les fairways sont mouillés, les balles roulent moins et le deuxième coup est forcément allongé. Si votre handicap est inférieur à 10, choisissez un driver à semelle conçue pour pouvoir être éventuellement jouée sur le fairway. Quel que soit votre niveau, votre bois trois doit être relativement "fermé" pour porter loin la balle.

Ces parcours offrent en général de larges zones d'arrivée de drives, mais préparez-vous à jouer beaucoup de pitchs, de chips et de sorties de bunker car les greens sont souvent petits ou disposés en oblique, et bien défendus par toutes sortes d'obstacles. Vous pouvez essayer un "chipper" car la répartition du poids sur ce type de club permet de bien faire rouler une balle située un peu en dehors du green.

Si vous jouez souvent ce genre de parcours, n'hésitez pas à avoir deux putters: votre putter normal pour les putts longs, et un long putter bloqué sur la poitrine pour les petits putts. Grâce au mouvement pendulaire de putting, le long putter est très efficace sur de courtes distances. Mais plus la distance augmente, plus il devient difficile de bien juger de l'amplitude de mouvement à donner.

Les parcours d'approches

Ces parcours ont souvent des greens vastes, roulants, avec des mouvements et des pentes très accentués. Le jeu commence une fois arrivé sur le green. Vos talents de putter doivent être très fins et votre stratégie de putting commence en fait au second coup. En effet, comme les greens sont vastes, vous devez jouer une zone précise, placer votre balle sur le plateau où se trouve le drapeau et rester sous le trou afin d'avoir toujours des putts en montée. La distance doit être précise, car le fait de manquer la cible avec un parcours "d'approches" peut signifier de vous retrouver avec un putt de vingt mètres au lieu de cinq. Certains architectes prévoient même des zones de rejet en périphérie de green où les balles sont repoussées vers l'extérieur.

Exemples

On peut citer Augusta National où se dispute le Masters, Oakmont en Pennsylvanie, ou encore Pinehurst 2 par certains aspects.

Un ou deux *putters ?*

Si vous devez jouer un "parcours d'approches" où les vitesses de roulement sur les greens peuvent varier, votre qualité de toucher est déterminante. Pensez à emmener deux putters. Un léger pour les putts rapides, les putts avec le grain ou en descente, et un putter plus lourd pour faire rouler la balle contre le grain ou en montée. Et essayez le long putter comme nous l'avons évoqué ci-contre.

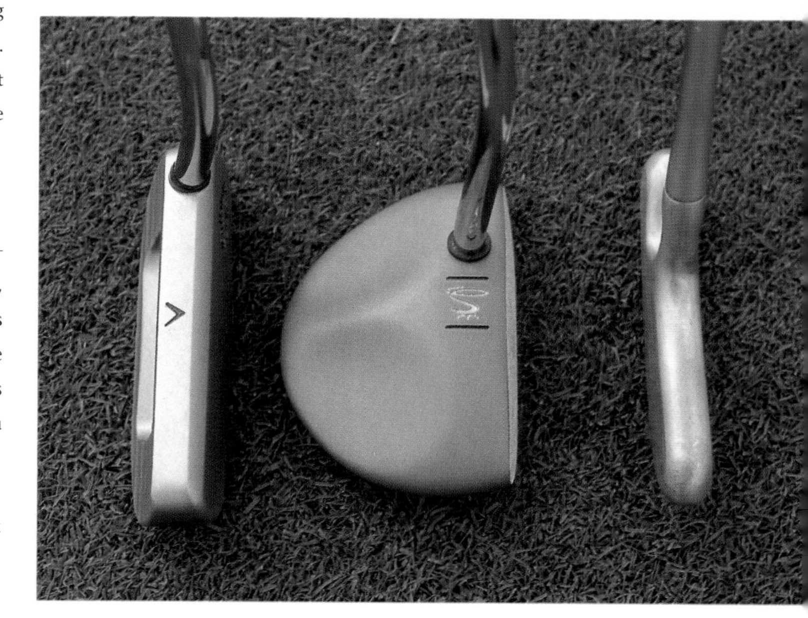

Un putter à tête rectangulaire (à gauche) pardonne mieux les frappes mal centrées. Un maillet (au centre) fait rouler la balle sur les greens lents, une lame (à droite) est bien adaptée aux greens rapides.

Bois et wedges "hors-série"

Les bois

Les bois spéciaux – en dehors de la série dite "normale" – remplacent de plus en plus les longs fers, car leur dessin facilite le jeu dans toutes les situations. Sur un parcours étroit bordé de rough, n'hésitez pas à employer des bois cinq, six, sept ou neuf. Sur un parcours avec des par 3 bien défendus, si vous faites des trajectoires basses avec les longs fers, un bois spécial peut vous donner à la fois la distance et la trajectoire requises. Quand il faut arrêter vite la balle sur un green, rien ne vaut un bois sept. Il envoie la balle aussi loin qu'un fer trois, mais elle vole plus haut.

Les wedges

En choisissant bien vos wedges, vous pourrez économiser des coups. Les performances de ces clubs dépendent beaucoup du profil de leur semelle. Le terme "rebond" (bounce) décrit la façon effective du club de "rebondir" sur le sol à l'impact. Plus ce rebond est prononcé, plus il s'étend en dessous de l'arête frontale, empêchant ainsi la tête de club de s'enterrer dans le sol.

Un pitching wedge avec une ouverture de 50° et 4° de rebond est très efficace sur des surfaces dures et sur le fairway. Le sand wedge standard a environ 56° d'ouverture et 11° de rebond, ce qui l'empêche de s'enfoncer dans le sable. Il est très utile dans les bunkers ou dans le petit rough autour des greens.

Le "lob wedge" a une ouverture comprise entre 60 et 64°, avec très peu de rebond. On l'utilise dans le sable mouillé ou épais, et sur les surfaces dures. Son ouverture permet de beaucoup lever la balle pour la faire atterrir en douceur. Sa portée maximum est d'environ 65 mètres.

Sur un parcours "de seconds coups", quand il y a du vent ou si vous manquez régulièrement les

Pour choisir le rebond (bounce) d'un wedge, étudiez les conditions de jeu. À gauche : wedge de 57° avec rebond très prononcé (11°). Au centre, 53° avec rebond moyen (9°). À droite, lob wedge 61° sans rebond (3°).

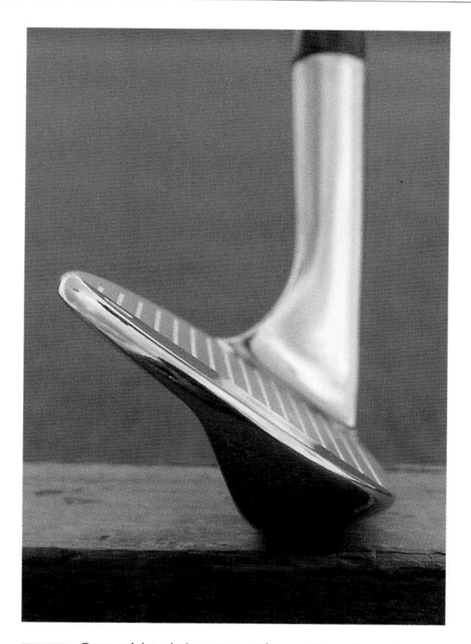

Quand le club est posé, seul le rebond touche le sol.

greens, pensez à acquérir un troisième wedge, ou même un quatrième. En plus du pitching wedge et du sand wedge, le lob wedge (60°) vous aidera à faire monter la balle dans toutes les situations.

Un quatrième wedge n'est pas inutile, si vous vous avez des chances de devoir jouer de petits pitchs sur des fairways très ras, là où la semelle doit avoir très peu de "bounce". Il peut aussi s'avérer utile en tant que wedge intermédiaire (gap wedge) s'il y a un grand écart de distance entre votre pitching wedge et votre sand wedge. Si vous faites 110 mètres avec le premier et 80 avec le second, la différence est trop importante et peut vous amener soit à jouer trop mollement le wedge soit à forcer avec le sandwedge. Un wedge permettant de couvrir des distances de 95 à 100 mètres peut alors être utile.

Mais si vous ne pouvez pas vous permettre de prendre un quatrième wedge, vous pouvez encore faire allonger le manche de votre sand wedge ou réduire son ouverture. Vous enverrez la balle plus loin avec un plein swing, et si vous voulez réduire votre distance, il vous suffit de baisser les mains sur le grip.

Pour jouer dans les bunkers, adaptez vos sand wedges à la texture du sable. Si celui-ci est mou, prenez un sand wedge avec une semelle large et pas mal de rebond. S'il est dur, mouillé ou croûté, prenez un sand wedge avec une semelle étroite et peu de rebond.

Une série de clubs bien adaptée

Comme les règles de golf limitent à 14 le nombre de clubs dans le sac, il n'est pas toujours facile de bien les choisir. Disons que le "noyau dur" de votre série comprend le driver, le bois 3, le putter, les fers 5, 6, 7, 8 et 9, le pitching wedge et le sand wedge. Il vous reste la possibilité d'ajouter quatre clubs, que vous choisirez en fonction du parcours, du temps, de vos sensations et de la qualité de votre swing du jour.

Le gazon *Bermuda*

Dans un rough en bermuda, une balle enfoncée doit être sortie avec fermeté. Si vous jouez dans ce gazon (Espagne, Portugal, sud des États-Unis), prenez un sandwedge et un lobwedge avec des manches plus courts et plus souples, afin de pouvoir faire de grands swings en accélération, qui vont extraire la balle et la faire atterrir en douceur.

Chapitre deux

La préparation

La qualité du swing de Steve Elkington s'appuie sur de solides fondamentaux. Notez au passage son apparence détendue.

Le terme de préparation est tout à fait adéquat, parce que les éléments de la routine de mise en place avant de taper un coup déterminent la qualité d'ensemble du swing. Même si vous n'avez pas (ce qui est probable) le talent athlétique d'un champion une fois que le swing commence, vous pouvez avoir une préparation tout aussi parfaite et vous n'avez aucune excuse de ne pas le faire.

Quelle que soit leur méthode d'enseignement, tous les professeurs vous diront que la préparation avant le coup est essentielle. C'est elle qui fournit toutes les données du script de votre swing de golf. La façon de placer le corps par rapport au club, à la balle et à la cible a un effet majeur sur la qualité de vos coups. Une bonne préparation favorise un mouvement correct alors qu'une mauvaise préparation favorise les erreurs de swing. On peut ainsi estimer que 90 pour cent des fautes dans le swing sont provoquées par une mauvaise mise en place. Par exemple, si vous êtes aligné trop à droite de l'objectif (comme le sont 80 pour cent des amateurs), soit vous allez jouer des mains, soit vous allez donner un coup de poitrine pour ramener la balle à gauche vers la cible. Dans un cas comme dans l'autre, vous faites une erreur pour en compenser une autre. Il est alors impossible de bien jouer : votre château de bonnes et mauvaises cartes va s'écrouler à la première occasion.

Le grip

Le premier des fondamentaux d'une bonne préparation est un grip correct. Sa fonction est d'établir et de garder le contrôle de la tête de club, de permettre un armement correct des poignets et de créer une connexion entre le club et le corps.

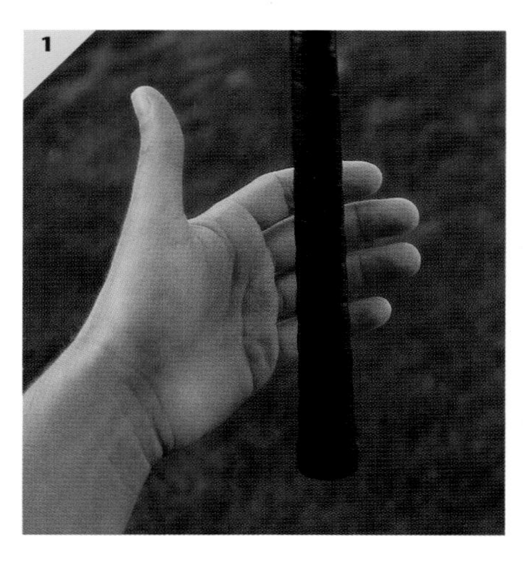

1

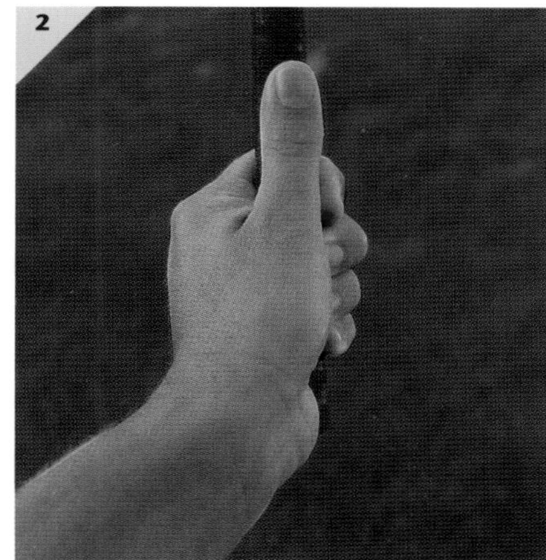

2

Le grip de main gauche

1 Avec la main droite, tenez le club devant vous à 45°.

2 Placez le côté du grip le long de la base des doigts de la main gauche. Il va alors reposer entre les deux plis de la paume de la main. En refermant celle-ci, le club sera ancré sous la partie charnue du pouce, et vous pourrez ainsi contrôler le club sans créer aucune tension. De même, vos poignets pourront jouer correctement pendant l'ensemble du swing.

3 À présent, placez le pouce légèrement sur la droite du grip afin que l'articulation du poignet gauche se trouve directement au-dessus du grip. Ainsi, les articulations de l'épaule, du coude et du poignet seront alignées avec la face de club, ce qui permettra de pouvoir bien la ramener à l'impact.

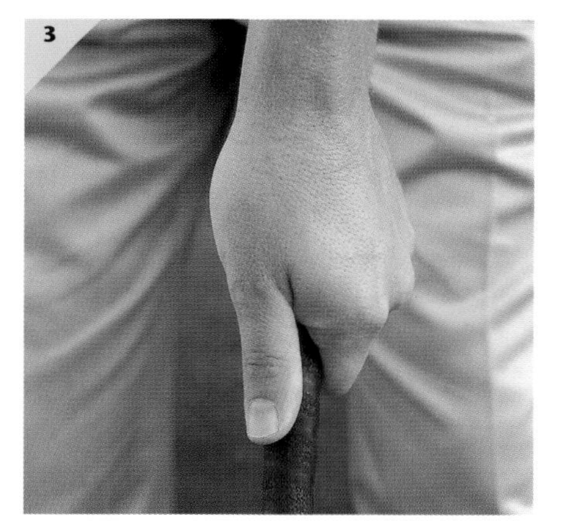

3

Un bon *grip*

Sur cette photo de Lanny Wadkins, vous pouvez remarquer les éléments fondamentaux d'une bonne prise du club. L'extrémité du grip est solidement maintenue dans la paume et les doigts de la main gauche, les articulations des deux mains sont alignées. Notez la fermeté de cette prise, mais dénuée de toute tension. Wadkins tient le club sans l'étrangler.

La bonne *pression*

Pour avoir un bon swing, il est essentiel de vérifier la pression du grip. Si vous étranglez le club, il est impossible de laisser jouer les poignets, et de libérer ainsi l'énergie emmagasinée au moment où le bras gauche et le club forment un angle droit pendant la montée. Si vous ne serrez pas assez le club, votre cerveau le saura et vous devrez "regripper" à un moment ou un autre pour en garder le contrôle.

Il est vrai que le poids effectif de votre club change à mesure que la vitesse de la tête de club augmente. Il y a forcément un ajustement de la pression des mains à l'approche de l'impact, mais il se fait inconsciemment. Vous n'avez qu'à démarrer avec une pression correcte et votre cerveau fera le reste.

Les deux mains doivent exercer une pression égale. Elle doit être assez ferme pour tenir le club, mais assez légère pour favoriser le mouvement. Si on évalue la pression sur une échelle de 1 à 10, elle doit être de 5.

Le grip *suite*

Le grip de main droite

- On place la main droite en amenant d'abord la paume face à l'objectif.
- La prise se fait au niveau des doigts, les deux renflements de la paume formant une sorte de poche enserrant le pouce gauche.
- En refermant la main droite, le pouce et l'index forment une gâchette. Le pouce droit est alors à gauche du grip.
- Ainsi, la paume de la main droite est à la fois face à celle de la main gauche et face à l'objectif, le pouce gauche étant logé sous la main droite.

Les points à vérifier

Une fois les deux mains posées sur le club, vous pouvez vérifier le placement correct de la main droite en allongeant l'index droit le long du manche. S'il est exactement sur le côté, séparé de l'objectif par le manche, la main droite est bien placée. En revanche, si l'index se retrouve sur le grip ou sous le grip, c'est que la main droite est mal placée.

Pour bien vérifier la position de la main gauche, le mieux est d'observer le placement de la tabatière (c'est-à-dire le petit creux à la base du pouce entre la main et le poignet). Elle doit être exactement au sommet du club : quand la force centrifuge oblige les bras à se redresser à l'impact, les articulations du poignet (la tabatière), du coude et des épaules doivent être alignées. Et si vous voulez que la face de club soit square à l'impact, commencez par cet alignement à l'adresse.

1

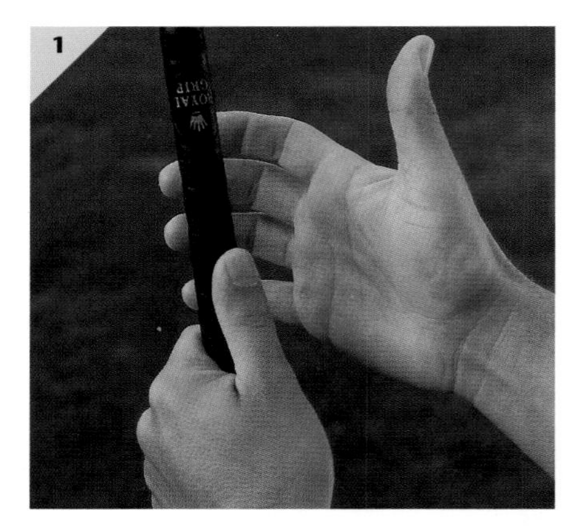

2

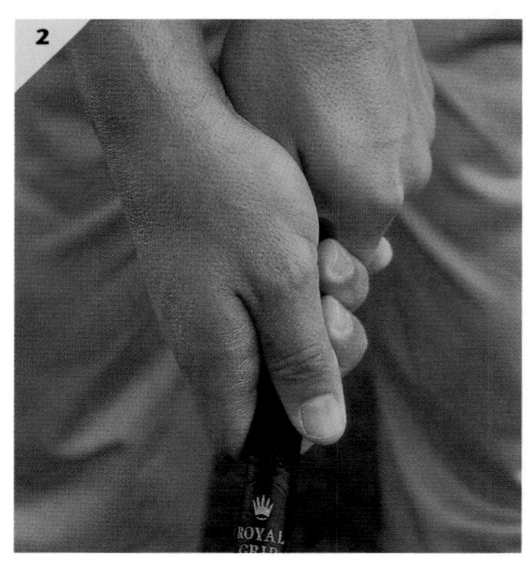

1 Commencez par amener la main droite vers le côté du club, ni par-dessus, ni par-dessous.

2 Les "V" formés par les pouces et les index des deux mains sont parallèles, et dirigés vers votre joue droite.

La position de la balle

Le second des fondamentaux, c'est la position de la balle. Elle doit être placée correctement pour permettre un contact "square". Cette position influence à la fois l'alignement des épaules et l'angle d'attaque du swing. Si la balle est placée trop en avant (vers le pied gauche pour un droitier), vous risquez de devoir tourner la poitrine vers l'objectif pour pouvoir poser la tête de club derrière la balle. Vous ouvrirez alors les épaules et vous aurez tendance à swinguer dans cette ligne, à avoir un chemin de swing de "slicer", vertical et de l'extérieur vers l'intérieur.

Si la balle est trop en arrière (vers le pied droit), votre poitrine sera alors orientée à droite de l'objectif, vous allez fermer les épaules et faire un swing aplati, de l'intérieur vers l'extérieur, ce qui n'est pas mieux.

1 Si la balle est trop en avant, les épaules sont ouvertes, ce qui favorise un slice.

2 Si la balle est trop en arrière, les épaules sont à droite de l'objectif, ce qui favorise un hook.

3 Selon le club, la balle est à hauteur de l'aisselle, du logo de la chemise ou de la joue gauche.

Le point bas de l'arc de swing

Avec un fer, la face de club touche la balle juste avant d'atteindre le point le plus bas de l'arc de swing. Lorsque la balle est sur un tee, le contact se fait au point bas ou même légèrement à la remontée. Comme la main gauche est placée plus haute que la droite sur le club, et que le poids est sur la jambe gauche à l'impact, le bas de l'arc de swing est situé pratiquement en face de l'aisselle gauche. Avec un driver, la balle sera à la hauteur de cette aisselle, la tête de club passant le long du sol à l'impact. Avec les longs fers et les bois de parcours, la balle sera face au logo de la chemise. Avec les moyens et petits fers, elle sera à hauteur de la joue gauche.

Position de la balle *suite*

Objectif

Pied gauche ouvert

Ouvrir un pied peut modifier votre perception de la position de la balle.

Oubliez les pieds

La position de la balle doit toujours être relative au haut du corps. Se référer aux pieds peut être fallacieux. Quand on juge par rapport à la pointe des pieds, on peut avoir l'impression que la balle est bien placée, alors qu'elle ne l'est pas.

Il est facile de constater à quel point le regard peut tromper. Placez donc une balle au milieu des pieds face au centre du corps. À présent, si vous reculez le pied de 10 cm, la balle paraît vers l'avant. Et si vous ouvrez le stance, la balle paraît plus en arrière, comme quand vous ouvrez la pointe du pied gauche.

Vérification

Une fois en position face à la balle, la meilleure façon de vérifier est de redresser la colonne vertébrale jusqu'à ce que le club soit à hauteur de la poitrine et parallèle au sol.

- Si la position de la balle est correcte, par rapport à la ligne de jeu, les épaules doivent être parallèles et le club perpendiculaire.
- Si la balle est trop en avant, les épaules seront ouvertes et le manche de club incliné à gauche.
- Si la balle est trop en arrière, les épaules seront alors fermées et le manche de club sera incliné vers la droite de la balle.

Orientation et alignement

L'orientation et l'alignement se définissent par rapport à la ligne de jeu, cette ligne imaginaire reliant la balle à l'objectif.

- **L'orientation** est la manière dont la face de club est alignée par rapport à la ligne de jeu. Si elle est orientée à gauche, on dit que la face est *fermée*. Si elle est orientée à droite, on dit que la face est *ouverte*. Si elle est bien orientée, on dit qu'elle est *square*.
- **L'alignement** se réfère à la direction du corps par rapport à une ligne parallèle à la ligne de jeu. Quand il est aligné à gauche de l'objectif, il est *ouvert*. Quand il est aligné à droite, il est *fermé*. Et quand les épaules, les hanches et les pieds sont parallèles à la ligne de jeu, on dit que le corps est *square*.

Pour tous les coups normaux, il est important d'adopter une position "square", qu'il s'agisse de la face de club ou du corps. Comme les épaules vont déterminer la direction de votre swing, elles doivent être alignées de manière à ce que la tête de club soit face à l'objectif à l'impact.

Comme c'est la face de club qui établit le contact avec la balle, son orientation à l'impact détermine la direction que prendra celle-ci. Les lignes gravées sur la face de club sont alors utiles pour bien s'aligner. Tout cela paraît simple, mais il faut être attentif à bien aligner la face de club par rapport à la cible.

Répartition *du poids*

Lorsque l'on joue le driver ou le bois trois avec la balle sur un tee, environ 60 pour cent du poids du corps sont sur le pied droit à l'adresse. Avec les autres clubs, la répartition est de 50-50 sur les deux pieds. D'avant en arrière, le poids est placé au niveau de la plante des pieds, et légèrement vers l'intérieur de chaque pied.

L'orientation de la face de club

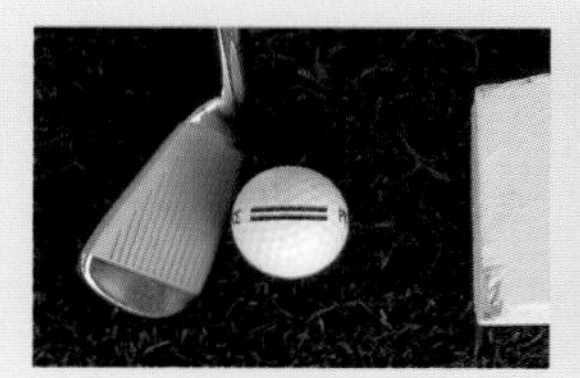

Un club "ouvert" est orienté à droite de l'objectif.

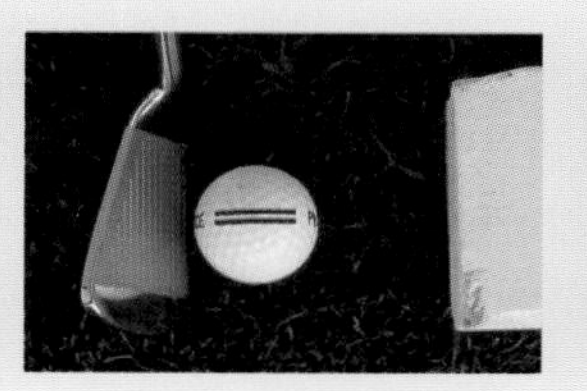

Un club "square" est face à la ligne de jeu.

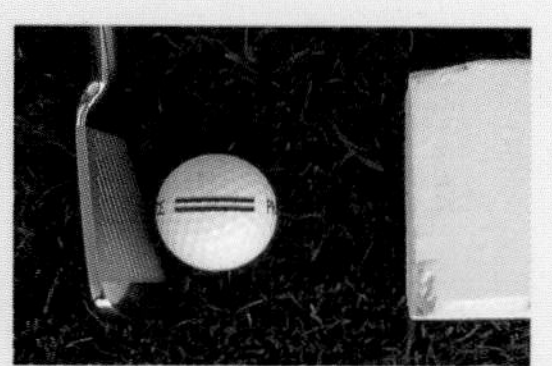

Un club "fermé" est orienté à gauche de l'objectif.

Tout aussi important, l'alignement des hanches, qui va déterminer la qualité de la rotation du corps par rapport à la balle. Si les hanches sont ouvertes, la montée sera réduite, et vous risquez d'être ouvert à l'impact. En revanche, si les hanches sont fermées, elles vont provoquer une rotation excessive à la montée, il sera alors difficile de les ramener au bon moment à l'impact.

Enfin, l'alignement des pieds est l'élément le moins important dans l'alignement du corps, mais comme il influe sur la position des épaules et des hanches, il vaut mieux les placer parallèlement à la ligne de jeu.

1 Dans une bonne préparation, le corps est parallèle à la ligne de jeu, la face de club est perpendiculaire.

2 Utilisez les sillons gravés sur la tête de club pour bien l'orienter vers l'objectif.

Que veut dire *"square"* ?

Le moment est venu d'expliquer ce que signifie le terme "square". Pour bien comprendre cette notion, posez quatre clubs au sol.

- Un club le long de la ligne de jeu.
- Un club à hauteur de la pointe des pieds, parallèle à la ligne de jeu.
- Un club à hauteur du talon gauche.
- Un club à hauteur du talon droit.

Ces quatre clubs forment un carré. Les pieds, les genoux, les hanches et les épaules sont dits "square", tout comme la face de club. Cette notion montre les relations géométriques entre le corps, la face de club, la balle et la ligne de jeu.

En souplesse

L'importance de la rotation des hanches et des épaules dépend de votre souplesse. Moins vous êtes souple, plus vous devrez ouvrir la pointe du pied droit afin de faciliter votre rotation à la montée. Plus vous êtes souple, moins vous devez ouvrir le pied droit, afin d'éviter une rotation excessive.

La largeur du stance

Adopter un stance correct (écartement et position des pieds) permet de donner au swing une assise solide. Le placement des pieds à l'adresse dépend à la fois de votre morphologie et du club à jouer.

L'écartement des pieds

La largeur du stance influence la stabilité, l'équilibre et la mobilité du corps. L'écartement des pieds ne devrait jamais être supérieur à celui des épaules, et jamais inférieur à celui des hanches. Une bonne manière de vérifier le stance au moment de jouer un fer moyen est de se placer en position de finish : si les deux genoux sont au même niveau, le stance est correct.

- Si les genoux sont trop éloignés, les pieds sont trop écartés.
- Si le genou droit dépasse le gauche, le stance est trop étroit.

L'ouverture des pieds

Lorsque la pointe du pied gauche est ouverte à l'adresse, il est plus facile de tourner la hanche et le genou gauches après l'impact. Pour déterminer l'ouverture idéale du pied, tapez quelques balles en ouvrant différemment le pied.

- Commencez avec le pied tourné d'environ 25° et observez la qualité de vos coups pour déterminer l'ouverture idéale.
- Si le pied gauche est trop ouvert, les coups vont être plutôt en fade.
- Si le pied est trop square, vous aurez tendance à faire des hooks.

1 Si le genou droit dépasse le gauche, les pieds sont trop rapprochés.

2 L'écartement est correct lorsque les genoux sont à la même hauteur.

3 Si le genou droit est en arrière du gauche, les pieds sont trop écartés.

La posture

La qualité de la posture influe à la fois sur l'équilibre et le plan de swing.

Si vous êtes trop droit, vous allez swinguer le club trop autour de vous, ce qui risque de vous faire faire des hooks ou des pulls.

Si vous êtes trop penché, vous allez lever le club de manière abrupte, ce qui va produire un backswing raccourci et si vertical que le slice est pratiquement garanti.

La flexion des genoux

Les genoux sont conçus pour permettre au corps de se pencher en arrière. Leur flexion doit à peu près correspondre à celle qui se produit pendant la marche, au moment où le pied avant s'étend sur le sol. C'est votre flexion naturelle, qui diffère d'ailleurs d'un golfeur à l'autre, selon leur souplesse et leur morphologie propres.

La flexion des genoux est également relative à la longueur des bras. Dans une posture normale, les joueurs doivent se pencher davantage s'ils ont les bras courts que ceux aux bras longs.

Peu importe l'importance de la flexion, du moment que le poids est également réparti de la plante des pieds aux talons, et jamais vers la pointe.

L'inclinaison du buste

Le corps est conçu pour être penché en avant au niveau des hanches, et pas de la ceinture. Si vous inclinez le buste au niveau de la ceinture, vous allez rentrer le bassin et désactiver vos centres de rotation. Les articulations des hanches vont se bloquer, elles seront obligées de bouger latéralement, et de se déplacer au lieu de tourner. En inclinant les hanches, les bras vont pendre directement sous les épaules, sans aucune tension. Vous aurez ainsi toute la place pour le passage des bras, et pour établir un plan de swing.

Remarquez que lorsque vous êtes en position correcte, l'abdomen se rétracte vers le haut et l'intérieur, ce qui amène à sortir le postérieur. Si la colonne vertébrale est inclinée correctement, le poids de la tête et des épaules vous porte en avant vers la balle pendant le swing. Pour conserver l'équilibre, c'est la partie postérieure du corps qui fait contrepoids.

Pour bien sentir cette position, imaginez que vous allez vous asseoir sur un tabouret de bar, plutôt que sur un tabouret de taille normale : cette dernière image incite à trop fléchir les genoux et à se mettre en position "assise".

Les épaules

À partir des épaules, les bras pendent naturellement vers le sol, le haut des bras (au niveau des aisselles) adhérant légèrement au buste, comme s'ils étaient fixés par un ruban adhésif. Vous êtes en position correcte dès lors que vous pouvez poser le club à l'adresse tout en relâchant les bras, et sans avoir à modifier l'angle du grip.

Position *de la tête*

La tête doit rester centrée par rapport aux épaules avec le menton levé avec fierté. S'il repose contre la poitrine, vous serez gêné pour tourner les épaules. Une position "fière" implique de voir la balle en baissant légèrement les yeux, ou lieu de la regarder en face avec la tête qui tombe.

La posture *suite*

Exercice

1 Les jambes tendues, placez un club au bas des hanches, parallèle au sol.

2 Poussez le club vers l'arrière jusqu'à ce que les fesses ressortent et que le poids du corps passe sur la pointe des pieds.

3 À présent, fléchissez les genoux pour que le poids revienne sur les plantes des pieds, voire légèrement vers les talons.

En résumé

Une fois en position correcte, le sommet de la colonne vertébrale, les coudes, les genoux et la plante des pieds sont pratiquement alignés. Vous vous retrouvez dans cette fameuse position athlétique commune à beaucoup de sports : le joueur de tennis attendant un service, le nageur prêt à plonger, le gardien de but au moment du penalty. Globalement, vous êtes en position à la fois disponible et souple. Et s'il y avait un nid de serpents entre vous et la balle, vous seriez prêt à sauter immédiatement par-dessus.

Un conseil utile

Si vous le pouvez, évitez de porter des lunettes à double-foyer pour jouer au golf, elles obligent à baisser la tête pour bien voir la balle.

La routine de placement

La routine de placement est souvent perçue comme quelque chose à faire avant le swing mais qui n'a aucun rapport avec le swing. En réalité, elle fait partie intégrante du processus du swing et, quelle que soit leur propre manière, tous les bons joueurs en ont une.

Les avantages d'une bonne routine sont multiples. D'abord, elle contribue à vous détendre, parce que vous faites toujours la même chose avant chaque coup. Ainsi, vous luttez contre la tendance à changer de rythme sous pression, soit en accélérant, soit en ralentissant.

En adoptant une routine solide, vous vous isolez des distractions extérieures telles que le bruit ou les autres joueurs qui bougent alors que vous allez taper la balle. Comme nous le verrons dans le chapitre suivant, la routine de placement est similaire à une réaction en chaîne qui culmine dans la sensation de pouvoir donner le signal de départ du mouvement en pleine confiance.

La routine

Les bons coups de golf associent distance et direction, mais vous vous compliquez les choses si vous pensez aux deux à la fois pendant le swing. Votre routine va vous permettre de les dissocier.

Vous devez faire attention à la direction au moment où vous alignez la face de club et le corps à l'adresse. Ensuite, oubliez-la et laissez à votre swing la responsabilité de faire couvrir à la balle la distance requise. Votre routine doit vous permettre de préciser dans cet ordre la direction, puis la distance.

1 Commencez par vous placer derrière la balle en réfléchissant au coup à jouer. Assurez-vous que votre swing d'essai est une véritable répétition, en l'effectuant en direction de l'objectif, avec la même position par rapport au sol et la même vitesse de swing. Une fois le coup bien visualisé et le swing d'essai réalisé, respirez profondément pour vous détendre.

2 À présent, placez-vous à l'adresse, avec le pied droit en premier. Avant de mettre en place le pied gauche, posez la tête de club derrière la balle, face à l'objectif. Tout en évitant de bouger le club, amenez le pied gauche de manière à placer le corps parallèlement à la ligne de jeu. Vous avez maintenant verrouillé le paramètre direction.

3 Une fois en place, en tournant la tête sans la lever, jetez un coup d'œil vers l'objectif afin de parachever le calcul de distance, détendez les bras par un petit mouvement de "waggle" et pressez la gâchette, en laissant la vitesse du swing produire la distance recherchée.

Note

Cette procédure va prendre de trente à quarante secondes. Si vous en faites une habitude, vos priorités seront justes pour chaque coup : la position à l'adresse donne la direction, la vitesse de swing donne la distance.

Chapitre trois

Le swing

Dans ce chapitre, nous allons étudier le swing en détail, à partir de la conviction que le swing ne sera jamais meilleur que notre conception propre d'un bon swing. Si vous savez ce qu'il faut faire et que tout est bien clair dans votre esprit, vous serez capable de le faire.

Que vous soyez un joueur débutant désireux de construire un bon swing, ou un joueur expérimenté cherchant à reconstruire son mouvement, attention : ce qui est confortable n'est pas forcément correct. Quand on apprend quelque chose de nouveau, on se sent généralement assez mal au début. Comme vous avez pris l'habitude de faire des choses incorrectes, le cerveau va interpréter ce qui est bien comme faux. Nous appellons cette période d'inconfort "incubation" : en apprenant un mouvement, il ne peut devenir une habitude qu'en le travaillant bien, et souvent.

Cette position équilibrée et dynamique d'Ernie Els démontre que l'ensemble du swing est impeccable.

Ne laissez pas la balle vous gouverner

En travaillant le swing, ce n'est pas la balle qui doit vous diriger. Cela se produit si vous jugez des changements uniquement en fonction de la réussite du coup précédent. Si votre seul système de jugement du swing consiste à observer le vol de la balle (haut, bas, de gauche à droite ou inversement), vous allez passer votre temps à essayer de faire des balles droites au lieu d'apprendre patiemment chaque élément de la séquence de swing.

En étudiant un élément spécifique du swing, tel que le grip, vous devez évaluer votre réussite en fonction de ce qu'est un bon grip, et pas en fonction de la trajectoire de la balle. Il est bien possible que vous ayez encore à étudier cinq ou six autres éléments avant que la balle finisse par aller précisément où vous voulez.

Jouez au golf, pas au swing

Les mécanismes présentés ici vont vous apporter les informations nécessaires pour travailler votre swing, elles ne sont pas destinées à vous accompagner sur le parcours.

Au practice, on sépare le swing en éléments que l'on travaille successivement, mais une fois ce travail accompli, on oublie tout et on joue au golf. Nous commencerons par quelques concepts de base qui s'appliquent à tous les swings.

L'angle du plan de swing

L'angle de plan de swing est défini par l'angle du club par rapport au sol (son inclinaison), à la fois à l'adresse et pendant le mouvement.

Chaque club du sac formant un angle différent avec le sol, vous aurez des plans de swing différents avec chacun des quatorze clubs. S'il est correctement posé, le fer cinq forme un angle de 62° avec le sol alors que le fer neuf a un angle de 66°. Avec le fer neuf, le mouvement sera donc plus vertical, et votre swing avec un fer cinq plus vertical qu'avec un driver (55°).

Ainsi, l'angle du plan de swing étant défini par le club, il sera modifié chaque fois que vous changez de club. Cela ne doit pas vous préoccuper, il est en effet inutile de régler constamment votre swing, car la progression logique de club en club est directement faite par le fabricant. Mettez-vous simplement à l'adresse comme vous l'avez étudié au chapitre précédent et vous commencerez naturellement avec un angle de plan parfait, c'est à dire "dans le bon plan".

Le secret, c'est de rester dans ce plan du début à la fin. Fondamentalement, tout ce que vous ferez en termes de transfert de poids, de rotation des épaules, d'armement des poignets et autres aspects mécaniques ne sert qu'à garder le swing "dans le plan". Si vous y parvenez, vous ne serez pas loin de mieux jouer.

L'axe

Le swing de golf se fait selon trois axes. D'abord la colonne vertébrale autour de laquelle pivote le haut du corps, puis la hanche droite et la hanche gauche autour desquelles, chacune à leur tour, pivote l'ensemble du corps.

Pendant le swing, vous devez être en appui sur la bonne hanche au bon moment. Ce qui signifie que l'articulation de la hanche devient le centre de la rotation quand le poids se déplace sur elle et que le corps tourne autour. Pour bien tourner, votre hanche doit être au-dessus du talon qui lui correspond.

Lorsque la tête de club s'éloigne de la balle, le poids du corps passe sur la hanche droite. Et quand la tête de club évolue vers l'objectif, la pression passe sur la hanche gauche.

Bras de levier

Les leviers multiplient la puissance. Le corps et le club forment votre système de levier. En utilisant correctement les mains et les bras, des angles de puissance s'établissent, qui vont accentuer l'énergie produite par l'enroulement du corps avant de la libérer à l'impact.

Par exemple, au cours de la montée, l'armement des poignets formant un angle droit entre le bras gauche et le club crée une source de puissance importante.

L'angle du coude est également très important, comme lorsqu'on lance une balle. C'est ce qu'on appelle la "puissance V", qui est l'un des plus importants bras de levier du corps humain. Quand le coude se détend, c'est-à-dire quand le bras droit se redresse au cours de la descente, il se charge de multiplier l'énergie générée par les gros muscles des jambes et du buste.

Le chemin de swing

Au début du backswing, la tête de club s'éloigne de la balle pratiquement en ligne avec l'objectif et continue de manière fluide vers l'intérieur et en montant. En imaginant une roue inclinée, votre cou étant l'essieu et la balle le point où la roue touche le sol, vous aurez une assez bonne image du backswing.

Le chemin de la tête de club vers la balle à la descente est situé en dessous du chemin qu'elle empruntait à la montée, ce qui lui permet de revenir depuis l'intérieur de la ligne de jeu. Au démarrage, la tête de club suit la ligne de jeu, au retour, elle revient vers l'intérieur de cette ligne, et c'est la rotation du corps qui la ramène "square" sur la balle. Et comme le corps poursuit sa rotation après l'impact, la tête de club va naturellement suivre, en revenant à l'intérieur de la ligne de jeu. C'est pourquoi on dit que le chemin correct est **intérieur - square - intérieur**.

La façon la plus commune de sortir du bon chemin, c'est de commencer la descente par une action de l'épaule droite, ce qui entraîne le chemin "extérieur - intérieur" que connaissent bien tous les slicers.

À la descente, laissez la tête de club suivre la courbe des balles posées au sol pour avoir un chemin de l'intérieur.

L'enroulement *est un rapport*

Pour enrouler correctement les muscles, vous devez placer une partie du corps contre l'autre afin de créer une torsion. En tournant les épaules plus que les hanches au backswing, vous allez étirer les gros muscles du dos, du bassin et des cuisses. En vous déroulant à l'impact, cette torsion va se transformer en vitesse du club.

Mais les golfeurs pensent si souvent à tourner qu'ils finissent par ne rien enrouler du tout. En tournant les épaules autant que les hanches, vous ne produirez aucune résistance : il y a de la rotation dans tout enroulement, mais pas forcément d'enroulement dans toute rotation. Si vous tournez les épaules de 90°, les hanches ne vont tourner que de 45°. Et si vous ne pouvez tourner les épaules que de 80°, tournez les hanches de 40°.

La séquence

Même si vous vous enroulez correctement, il arrive de dérouler trop tôt, ce qui fait perdre de la puissance, si utile au moment de l'impact. Il existe ainsi une séquence idéale : générer la puissance, la transmettre et enfin la libérer sur la balle au bon moment. Cette séquence de mouvements et de positions est appelée mouvement séquentiel correct : le moment où vous faites quelque chose est aussi important que ce que vous faites.

L'impact

Vous connaissez l'extase de la victoire et les affres de la défaite, alors que votre balle ne connaît qu'une seule chose : l'impact. Cinq différentes spécifications à l'impact définissent la trajectoire de balle :

- Ce que fait la face de club à ce moment.
- Le chemin du club.
- L'angle d'approche de la tête de club.
- La vitesse de la tête de club.

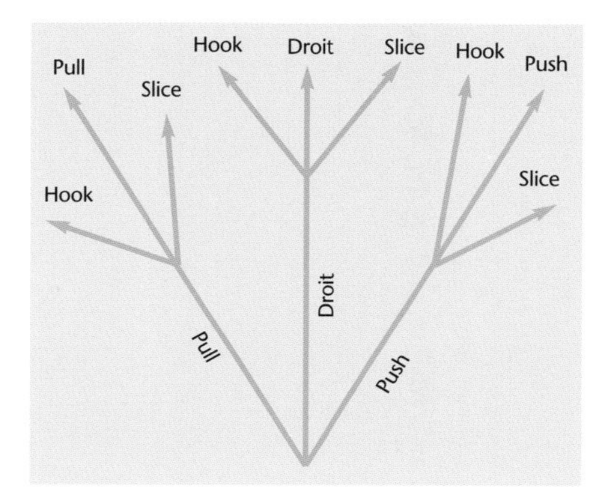

- L'endroit sur la face de club où se fait le contact.

Pour ce qui est de la direction, il existe neuf trajectoires possibles (dessin ci-dessus).

En général, le chemin emprunté par la tête de club à l'impact influence le début de la trajectoire de balle. Elle peut partir à gauche (en pull), à droite (en push), ou tout droit.

La position de la face de club à l'impact influe à la fois sur le début de la trajectoire et sur l'effet donné à la balle.

- Si la face de club est ouverte, la balle ira de gauche à droite.
- Si la face de club se referme, la balle ira de droite à gauche.
- Si la face de club est square, la balle déviera très peu.

Le tempo

Le tempo est la clef d'une frappe de balle régulière, il est contrôlé par les hanches. Dans le swing de golf, la vitesse de rotation des hanches gouverne la vitesse des bras et de la tête de club. En tournant les hanches à vitesse constante, la vitesse de la tête de club augmente pendant le swing. Le fait d'enrouler le corps permet de créer des multiplicateurs de vitesse (les leviers), qui sont commandés par les hanches.

Pour bien comprendre comment le tempo de la rotation des hanches contrôle le swing, imaginez une rangée de patineurs à glace qui se tiennent par la main. Le patineur du milieu commence à tourner, puis chaque patineur tire son énergie du patineur précédent et l'augmente, c'est pourquoi plus un patineur est éloigné du centre, plus il va vite et parcourt de distance. Le patineur central contrôle toute la rangée et plus il accélère sa rotation, plus le patineur en fin de ligne va vite.

Le patineur central représente les hanches et chaque patineur représente un club. Plus le manche de club est long, plus la tête de club est éloignée du centre et plus elle va vite. En tournant les hanches à la même vitesse avec chaque club de votre sac, vous allez développer un tempo de swing identique avec chaque club. Votre tempo de base restera constant, mais vous couvrirez les différentes distances simplement en changeant de club. Vous comprenez maintenant pourquoi l'absence apparente d'efforts des meilleurs joueurs est liée à un bon tempo.

Pour trouver le tempo qui convient à votre propre swing, notez votre vitesse lorsque vous marchez. Si vous marchez vite, votre tempo de jeu sera certainement rapide. Et si vous marchez lentement, votre rotation des hanches devrait être analogue.

Face de club
et chemin de club

Combinées avec les autres caractéristiques déjà citées, la face de club et son chemin dictent le vol de la balle. Si vous comprenez de quelle manière ils l'affectent, vous pourrez en déduire le sens de votre swing.

Par exemple, si votre balle part en slice, la face de club était ouverte à l'impact par rapport au chemin du club. Si votre balle est directement partie à droite (push), le chemin de swing était intérieur-extérieur, et la face de club square. Si vous toppez la balle, votre swing était trop vertical, la tête de club a touché la balle à son sommet. Et si vous faites des chandelles, vous avez probablement swingué le club dans un angle trop vertical, de l'extérieur vers l'intérieur.

La séquence du swing

Pour une analyse, on peut distinguer deux phases du swing à partir du démarrage :

- Le backswing quand le club s'éloigne de la balle en donnant de l'ampleur et un bras de levier.
- La montée où le club s'élève jusqu'au sommet du backswing, produisant de la hauteur et l'arc nécessaire pour créer de la puissance.

Le retour vers la balle est également composé de deux séquences :

- La descente (downswing) alors que le club redescend du sommet, tout en conservant les angles générateurs de puissance établis à l'adresse.
- La traversée durant laquelle on libère la puissance à l'impact, en laissant jouer la tête de club sur la balle.

Chaque phase est distincte. La compréhension de ces différences et de ce qui se passe vous aidera à établir un bon schéma de base pour votre propre swing.

Le backswing

C'est pendant le court laps de temps entre l'adresse et le sommet du swing que s'établit l'ampleur du swing. En d'autres termes, c'est la distance que parcourt la tête de club en s'éloignant de la balle le long de la ligne des pieds.

L'ampleur est importante parce qu'un bon swing réclame d'installer un espace où pourront librement jouer les bras et le club. Sans cela, vous serez gêné et le club ne pourra pas prendre le bon chemin.

Le début du swing

1 En évoquant la préparation, nous avons vu que le bras gauche était plus haut que le droit, et en contact avec la poitrine. Au début du swing, ce bras glisse simplement en travers de la poitrine

1

2

jusqu'à atteindre sa longueur maximum et qu'il ne puisse plus continuer sans entraîner l'épaule gauche. À ce moment, vous "sortez du bras gauche" et c'est le balancier des bras qui entraîne la rotation des épaules, en abaissant l'épaule gauche tout en l'éloignant de l'objectif.

2 Alors que le bras gauche évolue le long de la poitrine, le poids du corps passe sur la hanche droite en préparant la rotation. Le coude droit plie légèrement et s'éloigne de la ligne des pieds de quelques centimètres par rapport à sa position originale à l'adresse. À ce moment, le manche du club est directement au-dessus de cette ligne des pieds, la face de club est parallèle à la colonne vertébrale. C'est le signal de la fin du backswing.

La montée

1 Une fois le backswing terminé, il ne vous reste plus qu'à tourner le dos et la poitrine à l'objectif en laissant l'épaule gauche venir sous le menton et l'épaule droite derrière la tête. L'action de plier le coude droit est similaire au mouvement de lancer d'une balle. À ce moment, le poids de la tête de club s'éloignant de la balle oblige le poignet droit à se casser vers l'avant-bras droit alors que le poignet gauche reste plat. On appelle ce mouvement "armement des poignets". À ce moment, l'essentiel des rapports ont été établis pour pouvoir faire le swing dans le bon plan jusqu'au sommet.

2 Remarquez que la hanche droite vient au-dessus du talon droit, mais pas plus loin. Pour éviter de trop tourner les hanches, gardez le genou droit fléchi comme à l'adresse.

1

2

Une montée *d'une seule pièce*

Note : Au cours de la montée, le club, les bras, les épaules, la poitrine et les hanches bougent à l'unisson pour assurer un enroulement correct et éviter que les bras et les mains n'agissent de leur côté.

Cette montée d'une seule pièce, tout comme la descente d'une seule pièce, donne au swing en rotation actuel son aspect simple et tranquille. Dans le swing moderne, aucune aspérité ne perturbe le regard. Du moment que tout fonctionne comme une unité, aucune partie du corps ne ressort particulièrement.

Le plan
des épaules

À l'adresse, les épaules sont parallèles à la ligne de jeu, l'épaule gauche étant plus haute que la droite tout comme la main gauche est placée au-dessus de la droite sur le grip. Pendant le swing, les épaules décrivent un cercle autour du cou. Quand le club s'éloigne de la balle, l'épaule gauche s'abaisse sous le menton alors que l'épaule droite tourne vers l'arrière et au-dessus du cou. Au sommet de la montée et juste après l'impact, une ligne reliant les épaules doit avoir la même inclinaison que le manche de club. En fait, les épaules sont inclinées uniquement parce que la colonne vertébrale l'est. Au retour vers la balle, les épaules décrivent le même cercle à l'envers, l'épaule gauche revenant à sa position initiale et remontant derrière le cou, alors que l'épaule droite descend et passe sous le menton.

Au sommet du swing

1 Vous voilà à présent parfaitement enroulé, avec le club parallèle à la ligne des épaules, celles-ci reproduisant l'angle du plan du club à l'adresse. La paume de la main droite soutient le club, comme pour porter un plateau. Les coudes sont au même niveau, et une ligne les rejoignant serait parallèle au sol.

2 La jambe droite est restée fléchie, 80 pour cent du poids du corps reposant sur l'articulation de la hanche droite et sur la jambe. Le poids sur le pied droit est situé entre la plante et le talon, plutôt vers l'intérieur. Il ne faut pas sentir le poids vers la pointe des pieds ou vers l'extérieur de la semelle.

Retour vers l'objectif

Tout comme la première partie du swing se déroule en deux phases distinctes, c'est la même chose pour la seconde partie. En premier lieu, la descente (downswing) où le bras gauche revient en travers de la poitrine alors que le bras droit commence à se redresser. Une fois le club en position, la séquence de traversée commence, vous permettant de tourner tout en ramenant la face de club square à l'impact.

Le downswing

Comme pour tout ce qui se passe sur terre, la gravité joue un rôle important dans le swing de golf. Votre montée doit certes lutter contre la force de gravité, mais une fois le club en haut du swing, il faut à présent tirer profit de cette force que nous combattions il y a un instant.

Le mouvement qui déclenche la descente comporte en réalité deux actions, l'une du bas du corps et l'autre du haut du corps. Alors que le bras gauche refait son mouvement en sens inverse, le poids commence à passer sur la hanche gauche, ce qui ramène le bas du corps vers la balle. La hanche gauche est ainsi le centre de la rotation, permettant à l'arc de swing de s'aplatir juste avant l'impact, de manière à contacter solidement la balle.

Vous n'êtes pas sans avoir remarqué que le downswing est le reflet du backswing. Dans les deux cas, le bras gauche évolue le long de la poitrine tandis que le poids passe sur la hanche concernée : à droite au backswing, à gauche au downswing. D'un côté à l'autre, un bon swing est un swing symétrique.

Des angles *pour la puissance*

Note : vous devez noter deux choses importantes à propos du downswing.

- Alors que le bras gauche glisse le long de la poitrine et que le bras droit se redresse, vous devez maintenir l'angle droit entre l'avant-bras et le club. Cette source de puissance doit être stockée jusqu'à la zone d'impact.
- Au début de la descente, le dos reste tourné à l'objectif, ce qui est essentiel pour éviter de donner "un coup d'épaule". Un mouvement prématuré du buste ramènerait beaucoup trop tôt la tête de club vers la ligne de jeu.

Le swing jusqu'à l'impact

Une fois que le bras gauche a ramené le club en position et que la hanche gauche a joué son rôle de pivot, vous êtes prêt à libérer le côté droit. À ce moment du swing, 80 pour cent du poids est passé sur le côté gauche, qui est maintenant prêt à constituer une sorte de mur résistant à la puissance de la frappe.

Alors même que le côté gauche, à partir du genou, s'arrête pour dresser ce mur, tout le côté droit continue sa course de manière à percuter le mur de plein fouet. Cette collision va vous permettre de libérer toute la puissance au bon moment. Le concept gouvernant le côté droit du corps pendant ce mouvement vers l'avant est que tout ce qui agit doit continuer à agir.

Le démarrage *d'une seule pièce*

Le départ "d'une seule pièce" de certains golfeurs implique que le club, les mains, les bras, les épaules, le buste et les hanches s'éloignent ensemble de la balle. Mais si l'on n'y prend garde, on risque de tourner les mains et le club trop vite vers l'intérieur, ce qui détruit la qualité de l'enroulement et le plan correct de swing. C'est pourquoi nous vous recommandons une séquence de mouvements partant du bras gauche, et ensuite seulement cette montée "d'une seule pièce" où le club est amené au sommet en tournant simplement le haut du corps tandis que le bas du corps résiste. L'enroulement est meilleur et le mouvement plus sûr en amenant le bras gauche en travers de la poitrine, alors que le poids du corps passe sur la hanche droite.

1 Avant l'impact, la hanche gauche tourne en s'effaçant, augmentant la force de traction dans la tête de club. Le bras gauche est tendu, le bras droit légèrement plié juste en dessous, les poignets restent armés jusqu'au dernier moment.

2 En une fraction de seconde, le bras droit s'étend complètement, amenant dans le club et dans la balle toute la puissance emmagasinée.

La traversée jusqu'au finish

Si le buste et le côté droit ont agi comme il se doit dans la zone d'impact, la force de la rotation va tirer les bras tendus jusqu'après la frappe, de telle manière que la tête de club fait face au milieu du corps.

Après l'impact, laissez le corps tourner autour de la colonne vertébrale sans ressentir aucune opposition ni du côté gauche, ni du côté droit. Laissez la force de l'épaule droite qui tourne en traversant faire progressivement tourner la tête vers l'objectif, de manière à ce qu'elle regarde la balle "par en dessous". Autrement dit, laissez votre corps se relâcher à travers la balle, sans rien ajouter ni retenir.

1 Les deux bras sont en pleine extension juste après l'impact.

2 Après l'impact, le manche et la tête de club font face au milieu de la poitrine.

3 Le côté droit est relâché en traversant la balle, ce qui permet une fin de mouvement en parfait équilibre.

Quatre critères permettent de juger un bon finish :

- Le poids du corps est sur votre côté gauche.
- Vous êtes parfaitement redressé.
- Vous faites complètement face à l'objectif, y compris votre genou droit.
- Le pied droit agit comme un gouvernail et repose sur sa pointe.

En U et en V

Visionnés image par image, les films montrent que le club parvient au sol alors que l'arc de swing s'aplatit pendant l'impact. Ainsi, l'énergie dans la tête de club est délivrée à travers la balle et au-delà plutôt que vers le sol puis vers le ciel. Les meilleurs swings sont donc en forme de "U" avec une base aplatie, plutôt qu'en forme de "V".

Si vous ne transférez pas le poids à gauche au début de la descente, vous allez rester sur le côté droit et vos swings vont épouser la forme d'un "V". C'est pourquoi on commence le downswing en replaçant le poids vers le côté gauche.

Chapitre quatre

Swings de stars

Pour gagner en précision, avec des trajectoires plus basses et moins de backspin, Greg Norman est passé à un swing plus moderne.

Comprendre comment les champions ont construit leur swing vous aidera à construire le vôtre. Cependant, le swing de golf étant constitué d'éléments aussi divers que le grip, la posture, l'alignement, la position de la balle, le backswing, etc., la question est de savoir comment fusionner tous ces éléments pour mieux jouer au golf. Quels modèles allez-vous choisir, et quels éléments de leurs swings pouvez-vous retenir ?

Bien que tous deux soient des vedettes, Colin Montgomerie et Steve Elkington ont des swings qui ne se ressemblent pas du tout. Et bien qu'il soit toujours dangereux de classer en catégories, il doit être possible d'expliquer comment deux swings aussi dissemblables peuvent produire d'aussi bons résultats. Pour y parvenir, nous allons ranger les swings des vedettes en deux catégories générales : le swing classique et le moderne.

Comme vous le constaterez en regardant le tableau ci-contre, les joueurs au swing classique démarrent le club d'une seule pièce et swinguent dans un plan vertical avec un arc ample et fluide. Il leur arrive d'avoir un peu de mouvement latéral des hanches, et leur traversée se caractérise par une colonne vertébrale courbée (en C inversé), donnant l'impression qu'ils ramènent la tête de club par en dessous.

Les joueurs au swing moderne commencent le mouvement par le bras gauche et swinguent le club autour d'eux dans un plan plus aplati, avec un arc arrondi. Leur mouvement de hanches est une rotation et ils entrent dans la zone d'impact de manière plus droite, ayant déroulé les muscles autour de la colonne vertébrale. Ils fouettent le club autour d'eux.

Mais, alors que l'on pourrait croire ces distinctions nettes et définitives, il y a des exceptions flagrantes, en particulier le swing classique de Colin Montgomerie, mais avec la position de balle d'un moderne. De même, Alice Miller, joueuse au swing moderne, a adopté le grip de main droite faible du swing classique. L'existence de passerelles entre différents éléments du swing d'un type à l'autre amène à faire deux observations importantes. La première est que les bons swings de golf, afin de satisfaire les lois de la physique (ils doivent tous les respecter), évoluent selon la morphologie, la personnalité, les demandes de l'environnement et souvent (pas toujours) selon les enseignants. Ainsi, les éléments de swing sont assemblés selon les différences individuelles des joueurs.

La seconde observation est que la définition d'une erreur de swing n'est pas toujours un fait objectif intangible qui s'appliquerait à toutes les mécaniques de swings et à tous les swings. Après avoir analysé les swings des stars, vous serez certainement d'accord qu'avant de qualifier d'incorrect un mouvement ou une position, il faut démontrer qu'il n'est pas cohérent avec le reste des mouvements et des positions qui font un swing. Si on mettait un sac sur la tête de Lee Trevino afin que personne ne le reconnaisse, et qu'on lui demande de taper des balles dans un filet pour ne pas être influencé par la trajectoire de ses balles, 95 pour cent des enseignants modifieraient son swing en boucle et ses "push-fades".

Il est assez à la mode de parler "d'erreurs de compensations" à propos de tout ce qui dévie du chemin de la perfection, et on parle même avec commisération des victimes de cette maladie incurable dénommée "il fait des erreurs pour en compenser d'autres". Mais on donnerait cher pour avoir les "erreurs" de Crenshaw, Miller ou Montgomerie. Pour prendre un exemple, la position de la balle de celui-ci, en arrière du stance, n'est pas une erreur car elle est adaptée à son jeu, et aux trajectoires de balle qu'il recherche : basses et de gauche à droite. Il joue dans des conditions de vent souvent violent et s'il plaçait sa balle plus en avant, il ferait des balles plus hautes et son fade risquerait de devenir du slice.

	Swing classique	Swing moderne
Position de balle	vers l'avant	vers l'arrière
Grip	faible à neutre	neutre à fort
Hanches à la montée	inclinées, jambe droite tendue	au même niveau
Mouvement des hanches	latéral puis en rotation	en rotation
Démarrage	d'une pièce poiitrine, mains et tête de club	séquentiel : swing des bras poignets, puis épaules
Backswing	vertical arc important	plus plat et arrondi
Position du pied droit	perpendiculaire à la ligne de jeu	ouvert
Action des mains et bras	importante	réduite
Jambes	actives	passives
Libération du club	très active, avec les mains	par la rotation du corps
Finish	en C inversé	redressé

Note :
1 Tous ces éléments peuvent s'entremêler.
2 Pour classer un joueur, vous verrez qu'ils peuvent avoir la plupart des caractéristiques d'un swing mais jamais toutes à la fois. Les variations dépendent des conditions de jeu, de la morphologie, du tempérament, des tendances naturelles et des influences extérieures. On construit un swing de golf en assemblant divers éléments.

Votre schéma *de swing*

Dans le chapitre sur le swing, nous vous avons donné un schéma de base à partir duquel vous pouvez commencer à construire votre swing, mais une fois terminée l'adaptation à vos propres besoins, il peut ne pas ressembler beaucoup à votre projet initial. Il est important de savoir que l'ensemble du jeu de golf est plus vaste que le simple swing, c'est pourquoi vous pouvez être amené à introduire quelque chose de personnel, comme un grip faible par exemple, non pas parce que c'est objectivement correct, classique ou moderne, mais parce qu'il s'adapte bien à vos forces et faiblesses, parce qu'il vous aide à mieux scorer, ce qui est essentiel.

Johnny Miller Un swing classique

Johnny Miller stupéfia le monde par une victoire en 1994 à Pebble Beach, vingt ans après son premier succès sur le même parcours. Des problèmes de genou ont prématurément mis un terme à sa carrière de joueur mais, à son apogée, Johnny Miller était sans doute le meilleur joueur du monde. En 1973, il gagna son premier majeur, l'US Open à Oakmont, avec cinq coups d'avance et un dernier tour en 63, le meilleur score jamais enregistré dans un championnat majeur. 1974 et 1975 furent ses meilleures années, avec 12 victoires, 23 places parmi les 10 premiers et deux victoires internationales. En 1976, à Royal Birkdale, il remporta le British Open avec six coups d'avance sur Jack Nicklaus et Seve Ballesteros. Il était aussi très à l'aise dans le désert, où il gagna 13 tournois, dont quatre à Tucson. En 1975, il triompha à Phoenix avec 14 coups d'avance.

1 Immédiatement, on note une position parfaitement équilibrée, où rien ne choque. L'épaule droite est placée plus bas que l'épaule gauche, de même que la main droite par rapport à la gauche. Par rapport à autrefois, Miller a maintenant le pied droit perpendiculaire à la ligne de jeu, pour compenser la réduction de souplesse. Avec le driver, le poids à l'adresse est réparti à 60-40, au profit du pied droit.

Le placement de balle vers l'avant contrôle l'action des hanches dès le début du swing. Et on peut remarquer l'ouverture très prononcée du pied gauche, pour favoriser une rotation très agressive à travers la balle. Avec une telle ouverture, il doit placer la balle très en avant pour supporter l'action très forte des jambes caractéristique de ce swing.

2 Célèbre pour l'angulation précoce de ses poignets, Miller les arme effectivement assez tôt, mais sans excès : en effet, les mains sont déjà à hauteur de la jambe droite, et la tête de club est restée en dessous de leur niveau. À ce moment, on constate que le poids est passé sur la hanche droite.

La plus grande différence que l'on puisse voir aujourd'hui par rapport à ses grandes années, c'est la rotation bien plus horizontale des hanches et des épaules, et un mouvement plus court. Il lui arrive aujourd'hui de "lâcher" quelques coups et de mal en centrer d'autres, parce que sa rotation des hanches n'est pas très adaptée au reste de son swing vertical. Sauf si l'on compense, une rotation horizontale des hanches convient à un mouvement plus plat, alors que des hanches plus inclinées correspondent à un swing vertical.

3 Miller a un swing "de haut en bas" plutôt qu'en rotation. Au moment où le bras gauche est parallèle au sol, la tête de club est déjà bien au-dessus des mains. Les hanches ont assez peu tourné et, alors qu'il s'enroule autour de la hanche droite, la tête de club évolue vers le haut plutôt que derrière. Ce chemin de club est bien adapté au jeu de fers.

4 **5** À la descente, Johnny Miller ramène le coude droit contre le corps avec une action spectaculaire du genou droit, tout en gardant au sol le talon. Remarquez que la flexion du genou ne change avant l'impact que sous l'effet de la jambe gauche qui se redresse. C'est ce qui donne à Miller l'aspect caractéristique que l'on retrouve encore aujourd'hui. La spirale ascendante de son corps répond à la position de la jambe gauche. Et comme il n'a pas de très bons genoux, le fait d'ouvrir le pied gauche vers la gauche de l'objectif lui permet d'atténuer la pression.

6 Le finish est tout aussi caractéristique. C'est un C inversé avec les mains très hautes finissant entre l'épaule et l'oreille gauche, révélant ainsi que le club est resté longtemps en ligne avec l'objectif après l'impact.

Miller a toujours soutenu que cette position en C inversé lui permettait de garder plus longtemps la tête de club sur la ligne de jeu. Avec la balle en avant, une des caractéristiques de son swing est le mouvement latéral important, qui garde en ligne plus longtemps la face de club et amène fatalement une telle position au finish.

Le grip *de Miller*

Le grip de Johnny Miller a toujours joué un rôle très important dans son succès. Il a utilisé le terme "position impact" pour décrire son action des poignets. Pour lui, le dos de la main gauche et l'avant-bras forment une ligne droite de l'adresse jusqu'au finish. Si on perd cette relation, le poignet gauche se relâche, modifiant l'ouverture effective de la tête de club, affectant alors aussi bien la distance que la direction de la balle.

Dans ses grandes années, Miller a préservé cet alignement du dos de la main gauche, de l'avant-bras et de la face de club, ce qui lui a permis d'avoir un jeu de fers facilitant l'attaque des drapeaux. Bien que l'on n'ait pas tenu de statistiques à ce moment, il a probablement été avec Byron Nelson le joueur le plus précis de notre époque.

1
2
3
4
5
6

John Daly Un swing classique

John Daly s'est brutalement révélé au monde du golf par une victoire surprise à l'USPGA Championship 1991. Depuis, il a pratiquement gagné tous les ans. Son swing très long, sa longueur incroyable et sa personnalité inconstante ont fasciné les foules, aussi denses pour le suivre que pour Arnold Palmer ou Ballesteros autrefois. Mais sa longueur exceptionnelle masque la qualité magistrale de son petit jeu, largement utilisé pour remporter son deuxième titre majeur, au British Open 1995 à St Andrews. Régulièrement en tête des statistiques de distance avec plus de 250 mètres au drive, ses performances ont récemment marqué le pas, pour des raisons extra-golfiques, mais il paraît revenir au premier plan, pour la plus grande joie de ses nombreux supporters.

1 À l'adresse, les bras sont allongés pour s'accommoder de l'importance du buste. Daly débute le swing par un mouvement d'une seule pièce, gardant la tête de club le long du sol plus longtemps que quiconque. Alors que le bras gauche passe au-dessus de la ligne des pieds, les mains commencent à armer le club de manière très agressive, et sa rotation amène la tête de club bien à l'intérieur.

2 Notez que le dos de la main gauche est à présent tourné vers le ciel : alors que les poignets s'arment, la main gauche et l'avant-bras effectuent une rotation amenant la face de club vers le ciel. Si elle restait dans cette position, elle serait complètement fermée au sommet et il ferait des hooks violents. Mais en arrivant au sommet, en décollant le coude droit, la face de club est ramenée en parfaite position par rapport au plan des épaules.

3 L'angle du bras gauche en haut du swing est un stupéfiant exemple de souplesse, et pas à la portée de n'importe qui. Notez également l'index en gâchette qui lui permet d'allonger le swing, tout comme l'armement extrême des poignets.

4 Si on ne regarde que l'étonnant trajet de la tête de club, on oublie l'action du corps pendant ce temps. À la descente, Daly doit trouver une solution pour ralentir le bas du corps s'il veut ramener le club à temps. Au moment d'amorcer la descente, Daly reste suspendu sur le pied droit comme une ballerine, manœuvre intelligente pour son problème de timing. On constate sur la photo que ce sont les bras et les épaules qui déclenchent la descente avant que le poids passe sur le côté gauche. Le voici maintenant dans la position d'un joueur au swing "normal" au début de la descente, alors que la tête de club a déjà parcouru 50 centimètres.

5 La position très haute du coude droit (photo 3) favorise l'ampleur de l'arc de swing, mais elle permet aussi de replacer la face de club en bonne position. Au cours de la descente, une partie de la vitesse supplémentaire de club provient du fait qu'en ramenant violemment le coude vers le côté droit, l'effet de coup de fouet dans la zone d'impact est encore augmenté.

Pour réussir cet immense swing, Daly n'a pas seulement besoin de temps, mais aussi de place. En haut du backswing, la tête est au-dessus du pied droit. En commençant la descente, elle revient vers la balle, ce qui donne toute la place voulue à l'épaule droite, pour pouvoir faire jouer le bras vers le côté droit.

6 Pendant le mouvement, Daly utilise les jambes comme des points d'ancrage autour desquels il peut s'enrouler : la jambe droite à la montée, la gauche à la descente. À l'impact, il peut swinguer le club en s'appuyant sur la jambe gauche.

Puissance *et rythme*

Dans le golf moderne, Daly fait parcourir à sa tête de club un chemin immense. Voici pourquoi elle va si loin derrière lui.

1. Ses hanches, épaules et poignets sont très souples.

2. Son corps est puissant, et habitué à taper fort.

3 Chaque détail de sa technique (coude droit flottant, bras gauche très haut, index en gâchette) est idéal pour créer un arc de swing énorme.

Mais ce swing réclame un timing parfait. John Daly joue en général de façon superbe quelques semaines par an, lorsque son rythme est parfait. Il peut alors réduire à néant le parcours et ses adversaires. Si son timing est médiocre, son excellent petit jeu et son putting peuvent encore lui permettre de terminer au milieu du peloton. Et quand son timing est mauvais, il ne se qualifie même pas...

1
2
3
4
5
6

Plus vieux,
c'est mieux

Comme Ben Crenshaw ne peut plus faire de swings très longs à cause des années qui passent et de la perte de souplesse, sa précision au drive est bien meilleure.

Dans certains cas, le golf devient l'un des seuls sports où l'on peut progresser en vieillissant parce que le manque de flexibilité devient un avantage. Ce que Johnny Miller a dit de John Daly s'applique aux golfeurs aux grands swings : "À quatre-vingt-dix ans, son swing sera normal."

Ben Crenshaw Un swing classique

Ben Crenshaw a remporté son second Masters en 1995, au cours d'une semaine émouvante qu'il avait commencée en assistant à l'inhumation de son mentor de toujours, Harvey Pennick. Après avoir inscrit 40 grandes victoires à son palmarès, Crenshaw s'est aussi fait un nom comme architecte de golf et comme fin connaisseur de l'histoire de ce jeu. Bien qu'il n'ait pas toujours été en très bonne santé avant la quarantaine, il a, depuis, gagné pratiquement tous les ans, ce qui témoigne de la qualité générale de son jeu. Pour terminer, on soulignera qu'il est l'un des plus grands putters de l'histoire du golf.

1 Les pieds sont très écartés, ce qui va donner une grande stabilité au mouvement fluide qui va suivre. Ben Crenshaw fait beaucoup agir le haut du corps : avec un stance plus étroit, il risquerait de perdre son équilibre.

Le grip est classique, les deux paumes sont face à face, ce qui garantit que les deux mains vont travailler de concert au lieu de se combattre. Les "V" formés par les index et les pouces sont parallèles, pointant vers la joue droite. Un tel grip est ce qu'un professeur peut offrir de plus impressionnant à son élève, et ses effets resteront longtemps bénéfiques alors que la plupart des autres conseils se seront évanouis.

Le pied droit est perpendiculaire à la ligne de jeu, afin de garantir que le club va évoluer dans un plan vertical et au-dessus de la tête plutôt qu'autour d'elle. Pour un joueur de balles hautes tel que Crenshaw, la balle est placée assez en arrière : si son timing est médiocre, il risque d'envoyer sa balle n'importe où, ce qui lui est parfois arrivé dans sa carrière.

Il démarre d'une seule pièce, la poitrine activant un bloc composé des bras, des mains, des épaules et du club. Le coude droit reste longtemps en ligne ce qui donne un maximum d'extension à la tête de club. Crensahw n'est pas très corpulent, mais il envoie la balle très loin en raison de l'ampleur et de l'arc de son swing.

2 Au sommet, les muscles sont bien enroulés, l'angle du bras gauche reproduit celui du club à l'adresse. Grâce à l'inclinaison des hanches et à la fermeté (pas la raideur) de la jambe droite, la tête de club est passée bien au-dessus de la tête. Une bonne partie du poids du corps s'est accumulée sur la hanche droite, comme on le voit avec le talon gauche légèrement décollé, tiré vers l'arrière par la rotation.

3 Crenshaw revient vers la balle par un mouvement latéral des hanches en direction de l'objectif. Le manche du club est comme placé dans un rail derrière lui, de manière à revenir de l'intérieur sur la balle.

Par rapport à la plupart des joueurs, on constate un mouvement beaucoup plus prononcé des hanches, ce qui donne l'impression qu'elles glissent, mais c'est uniquement parce que la tête et l'épaule gauche ont beaucoup tourné derrière la balle au backswing (presque au-dessus du pied droit). Il n'y a pas de glissement latéral, dans la mesure où le centre du swing, situé à la base du cou, reste derrière la balle bien après la frappe.

4 On peut remarquer la stabilité de la colonne vertébrale, malgré le mouvement des hanches. Si l'on trace une ligne de sa casquette à l'arbre sur sa droite, on constate que Crenshaw pivote autour du cou pendant toute la descente.

5 Sur cette image à l'impact, on peut voir le pli de la jambe gauche du pantalon aller vers l'avant alors que la jambe elle-même s'est ancrée au sol pour préparer le relâchement dans la balle. Une fois de plus, on observe que les swingers classiques "écrasent les freins" du côté gauche au moment de libérer le club.

6 Sur cette position finale, on ne voit aucune cassure sur la chaussure droite, ce qui dénote un transfert de poids complet sur le côté gauche. Chaque gramme de puissance a été mis en œuvre, et l'ampleur de l'arc constitue la source de puissance, délivrée au moment idéal.

1
2
3
4
5
6

L'action
des hanches

Au cours de ses premières années de golf, l'action latérale des hanches caractérisait Montgomerie. Les joueurs de ce type sont habituellement des spécialistes du fade, alors que ceux qui tournent beaucoup sont plutôt des joueurs de draw. Comme il est difficile de modifier un tel mouvement des hanches, le swing évolue à partir de cette tendance naturelle. Pour éviter le fade dans le vent, Montgomerie a placé la balle vers le pied droit mais en essayant d'éviter les hooks. Ainsi, il incurve le poignet au sommet de la montée pour ouvrir la face de club.

Colin Montgomerie Un swing classique

À partir de 1993, Colin Montgomerie s'est maintenu au sommet du Circuit Européen sept années consécutives, ce qui surpasse la domination en leur temps de Peter Oosterhuis ou Ballesteros. Sa capacité à scorer en compétition lui a offert de nombreuses victoires et une multitude de places d'honneur dans les Majeurs, mais la consécration suprême continue à lui échapper dans ces tournois. Cependant, son palmarès impressionnant et sa personnalité parfois ombrageuse en font l'une des personnalités essentielles du golf mondial.

1 Une des originalités de Montgomerie est le placement de la balle vers l'arrière du stance (à la manière d'un Paul Azinger), mais il l'associe à un swing de forme verticale et de haut en bas, et non pas arrondi. Il travaille ainsi la balle de gauche à droite, et la position perpendiculaire du pied droit favorise ce chemin de club abrupt.

2 À ce moment, on peut remarquer l'alignement parfait de l'épaule et du club, ce qui démontre un démarrage d'une seule pièce où l'ampleur du swing et la hauteur atteinte par la tête de club vont générer la puissance. La tête de club traîne derrière les mains au cours des premiers centimètres, ce qui dénote un démarrage par la rotation de la poitrine, entraînant d'un seul bloc les épaules, les bras et les mains. Le danger est ici de tourner la tête de club trop à l'intérieur pour suivre la rotation de la poitrine. Pour l'éviter, Montgomerie adopte un grip faible de main droite, ce qui lui permet de la conserver longtemps en direction du ciel. Avec le bras droit assez tendu, il est certain que la tête de club va monter au-dessus de lui et non derrière lui.

3 Le raidissement de sa jambe droite contribue à produire un swing vertical. Au sommet du backswing, les poignets sont armés et le poignet gauche incurvé, ce qui permet à Montgomerie d'ouvrir la face de club et de jouer en fade. Tant que la face de club reste ouverte, il peut effacer les hanches autant qu'il le veut, il ne fera pas de balle à gauche. Malgré tout, pour l'éviter, il glisse légèrement les hanches vers la droite avant de les effacer, pour ne pas fermer la face de club.

La longueur du backswing de Montgomerie est évidente. Elle est supérieure à celle de la plupart des joueurs mais tant qu'elle résulte d'une rotation très importante des épaules et de la souplesse des poignets, elle reste sous contrôle et devient un atout. Remarquez aussi que le bras gauche reste droit, mais pas raide. S'il pliait, le club échapperait à tout contrôle. La transition de la montée à la descente est une donnée cruciale dans tous les swings, on constate ainsi que tous les grands joueurs ont le club "bien en main" à ce moment précis.

4 En revenant vers la balle, les bras descendent verticalement, ce qui est indispensable pour que la tête de club rattrape le corps à l'impact. Montgomerie est alors confronté au même problème que John Daly et Ben Crenshaw. Comme les mains sont encore très hautes, elles ont beaucoup de chemin à parcourir. Il leur accorde le temps nécessaire en glissant latéralement les hanches, et ne commence pas à les effacer avant le retour effectif des bras. C'est tout à fait différent du swing moderne où les hanches s'effacent en même temps que les bras reviennent.

5 **6** À l'impact et au delà, Montgomerie a une position en C inversé. C'est le résultat de la fixité du haut de la colonne vertébrale : les bras sont jetés en avant alors que les vertèbres supérieures et la tête rebondissent vers l'arrière pour contrer les forces agissant sur le corps au moment de l'impact. Montgomerie est un homme solide avec des mains hautes, un finish très haut et beaucoup de talent. Il a des chances de durer longtemps au plus haut niveau.

1
2
3
4
5
6

Ernie Els Un swing moderne

D'abord très connu en Afrique du Sud dont il est originaire puis en Europe, Ernie Els a fait irruption sur le Circuit Américain en remportant l'US Open en 1994. Depuis son passage chez les professionnels en 1989, il a accumulé plus de 25 victoires dans le monde, dont un autre US Open en 1998. Aujourd'hui, il partage son temps, et avec succès, entre les Circuits pros de part et d'autre de l'Atlantique et devrait marquer de son talent et de son apparente nonchalance le début du millénaire.

Un véritable *athlète*

Après Nick Faldo et avec Tiger Woods, Ernie Els est sans doute un des plus grands athlètes du golf de compétition à notre époque. Grâce à une force physique énorme, il peut se permettre un swing tranquille et sans efforts, qui paraît d'une grande simplicité parce qu'aucun angle n'est inutile.

1 Ernie Els se tient très droit devant la balle, les jambes presque perpendiculaires au sol, comme on le voit par les plis du pantalon. On constate aussi qu'il incline le buste à partir des hanches, de même qu'il utilise ses genoux, comme il se doit, pour dégager le bassin vers l'arrière. Il se retrouve ainsi dans la position athlétique vigilante commune à bien des sports.

Les deux pieds sont légèrement ouverts, le droit pour permettre à son corps imposant de bien tourner à la montée, et le gauche pour lui apporter la souplesse nécessaire au moment de traverser dans la balle.

2 Avec des bras aussi longs et un dos souple, l'extension au démarrage à partir de la balle est spectaculaire. Juste avant qu'elle parvienne à son maximum, le poignet droit commence à s'armer, ce qui amène la tête de club à monter. On peut deviner l'importance de l'étirement des muscles en observant les plis de la chemise. On est ici au cœur de la

puissance de l'enroulement, le bas du corps résistant au haut du corps.

3 Il ne lui reste plus maintenant qu'à plier le bras droit comme s'il allait lancer une balle. La paume droite est face au ciel, enserrant le club, dans la position dite du "plateau". C'est une position à la fois très solide et logique pour commencer à revenir vers la balle. Comme chez de nombreux champions, on peut remarquer la faible rotation des hanches par rapport à la longueur du trajet de la tête de club.

4 Au début de la descente, l'épaule gauche s'éloigne du menton, ramenant le bras gauche. Au moment où celui-ci est parallèle au sol, le pied droit est encore à plat au sol, mais incliné vers l'intérieur, ce qui évite tout mouvement prématuré de la poitrine, et permet en même temps de conserver les poignets armés jusqu'au dernier moment.

5 Juste avant l'impact, les épaules sont au même niveau. Après l'impact, l'épaule gauche s'est relevée. Si elle devait bouger en direction de l'objectif, le centre du swing serait projeté vers l'avant, et la balle partirait à droite. Remarquez également que les mains sont revenues à leur position de départ, tandis que la tête de club n'est toujours pas libérée. Le fait de maintenir l'angle entre le bras gauche et le club est souvent appellé "frappe retardée", ce qui est assez absurde car il n'y a en réalité aucun "retard". Cette position puissante est possible parce qu'Ernie Els (quand il est en forme) ne fait rien pour que les choses se passent, il les laisse se produire. Son swing ne trahit aucune aspérité et la balle semble devoir aller naturellement où elle doit.

6 Cette position après la traversée est complète et fluide (comme on peut s'y attendre), les deux bras face à la poitrine. Cette position va obligatoirement l'amener à un finish en parfait équilibre.

4

Le swing
moderne

Le swing moderne en rotation exige une position de balle plus en arrière que le swing classique, et le très élégant Elkington l'incarne parfaitement. Avec le driver, la balle est placée face à l'aisselle gauche. Les bras pendent confortablement : s'il laisse tomber le club devant lui, ils ne bougeront pas. La jambe droite est droite, avec juste assez de flexion du genou pour lui donner la position très solide à partir de laquelle il pourra faire son swing. L'erreur commune – trop de flexion des genoux – amènerait le corps en avant pendant la descente, ce qui peut obliger à se redresser juste avant l'impact, pour parvenir à garder l'équilibre.

Steve Elkington **Un swing moderne**

Né en Australie, Steve Elkington a fait ses études de l'autre côté du monde à l'Université de Houston, où il a été membre de l'équipe ayant triomphé en 1984 et 1985 dans le NCAA Championship, et figuré deux fois parmi les dix meilleurs joueurs des USA. Depuis son arrivée sur le Circuit américain, son swing très solide lui a valu plusieurs victoires et près de cinq millions de dollars de gains. Au cours d'un duel épique, il s'imposa devant Fuzzy Zoeller au très prestigieux Players Championship 1991. En 1995, il remporta son premier Majeur avec l'USGA au Riviera Country Club. Un dernier tour en 64 força les portes d'un play-off où il défit Colin Montgomerie. Ce fut sa meilleure saison, avec la meilleure moyenne de score de l'année (69,62), un second titre au Mercedes Championship, deux Top-10 au British Open et au Masters, et au PGA Championship. Il aime bien ce dernier tournoi, où il a fini troisième en 1996 et 1998.

1 À l'adresse, le club, le bras gauche et l'épaule sont parfaitement alignés. Les deux pieds sont ouverts d'un "quart de tour" pour favoriser l'aspect "rotation" de son swing. Il lui est ainsi plus facile de tourner la hanche droite au-dessus du talon droit à la montée et d'effacer la hanche gauche au-dessus du talon gauche au retour.

2 Le bras gauche commence le swing et déclenche une réaction en chaîne qui va donner un mouvement où le plan du manche est toujours dans le bon angle. On devine une légère rotation de l'avant-bras gauche au backswing, juste assez pour garder le club dans le plan alors que le poignet droit s'arme pour créer un bras de levier à angle droit.

3 L'élément déterminant de ce swing est l'opposition établie entre les parties supérieure et inférieure du corps, alors qu'il parvient au sommet. Il est pleinement étiré, ayant placé le buste en opposition au bassin et aux jambes grâce à une utilisation parfaite des genoux. Le genou droit est bien fléchi et les hanches au même niveau. Même avec un maximum d'enroulement, le talon gauche repose encore au sol, le genou gauche ne pointe que légèrement derrière la balle. Cet étirement va créer des bénéfices sous forme de vitesse de la tête de club.

4 Au début de la descente, le bras gauche glisse vers le pied droit alors que le poids du corps passe vers le pied gauche, Il y a beaucoup d'actions "vers le bas" et "autour" dans tous les swings. Elkington commence par descendre, fixant le club sur un rail de manière à ce que la rotation vers la balle travaille pour lui. Dans leur anxiété de frapper, bien des joueurs tournent la poitrine (c'est le "autour") avant de faire la descente. C'est ce que l'on appelle donner un coup d'épaule : en ce cas, la rotation travaille contre vous.

À mi-chemin, quand le bras gauche est parallèle au sol, le genou droit commence à évoluer vers la balle. On constate une fois encore le mouvement simultané du swing moderne, où le coude droit se rapproche du corps sans que le pied droit décolle du sol, alors même que la hanche gauche tourne à gauche. Ainsi, le côté droit résiste alors que le côté gauche tire, maintenant l'opposition, et l'augmentant même juste avant l'impact. La séparation des genoux met ce fait en évidence, avec la fameuse position "jambes séparées" du joueur moderne en rotation.

5 À l'impact, Elkington reste derrière la balle. Le talon droit ne s'est pas dressé : Steve a libéré le côté droit mais sans pour autant rejeter l'épaule gauche sur la balle. Il est bien sur le talon gauche, sur la partie externe de la semelle, démontrant un transfert de poids impeccable.

6 La traversée est aussi parfaite que le reste du swing. On peut apercevoir les clous de la chaussure gauche, la boucle de la ceinture et le genou droit font face à l'objectif.

1
2
3
4
5
6

Le juste *grip*

Quelques grands joueurs comme Fred Couples, Bernhard Langer et John Daly ont un grip fort. Pourquoi pas l'adopter, tant que l'on résiste à la tentation de lancer les mains vers la balle. En règle générale, si vous êtes un "manuel", adoptez un grip neutre ou faible. Si vous jouez plutôt avec le corps, adoptez un grip fort.

Paul Azinger Un swing moderne

Au cours de sa meilleure saison sur le PGA Tour, 1993, Paul Azinger remporta le Memorial Tournament en rentrant sa sortie de bunker au dernier trou pour battre son ami Payne Stewart. Il gagna encore deux tournois cette année-là, dont son premier Majeur, l'USPGA Championship. Cette saison spectaculaire s'acheva brutalement par le diagnostic d'une lésion cancéreuse dans sa clavicule droite. Il lutta contre la maladie comme un grand champion, l'utilisant pour inspirer d'autres personnes dans leurs luttes respectives. À ce jour, et de retour sur le Circuit, il peut afficher plus de sept millions de dollars en tournoi, une douzaine de victoires, plus de 90 Top-10 et un record impressionnant de succès en Ryder Cup.

1 L'aspect le plus remarquable, c'est le grip très fort, avec les "V" (pouce et index) des deux mains pointant au-delà de l'épaule droite et le dos de la main gauche tourné vers le ciel. Azinger a eu de la chance que son professeur John Redman ait compris que ce grip n'était pas incorrect, mais qu'il était à la base de sa réussite, tant il était parfaitement adapté aux autres composantes de son swing.

Les pieds sont assez peu écartés, les genoux assez fléchis et les épaules relativement ouvertes. Comme c'est un joueur de balles basses, il place la balle en arrière du stance, ce qui amène les mains en avant à l'adresse et permet d'éviter les hooks.

2 Au démarrage, c'est le bras gauche qui effectue le travail, synchronisant la rotation du haut du corps avec un mouvement longtemps réduit du bas du corps. Au moment où le club est à hauteur des hanches, le genou gauche n'est toujours pas passé derrière la balle, ce qui est très caractéristique du swing moderne, où il y a un transfert de poids, mais très peu de mouvement du bas du corps au backswing.

3 À la fin de la montée, la jambe droite se raidit légèrement afin d'éviter que le club ne se perde derrière le dos (ce qui pourrait causer le hook). Mais au début de la descente, il le fléchit à nouveau jusqu'à ce que les deux genoux soient parallèles au sol, alors que le bras gauche parvient également dans cette position, indispensable pour avoir un solide contact malgré la balle placée en arrière du stance.

4 La clef de la descente, c'est le mouvement latéral des hanches. Azinger les glisse vers l'avant pendant le downswing, ce qui est rendu nécessaire parce que la face de club était fermée au sommet. S'il se contentait de tourner les hanches à la descente, il enverrait la balle à des kilomètres à gauche. Les mains restant passives, il peut conserver le levier du bras gauche et du club pendant très longtemps. C'est encore un avantage du swing moderne.

5 Mais ce mouvement latéral s'arrête quand il faut. Juste avant l'impact, la hanche gauche s'efface derrière le corps, ce qui ramène la face de club square sur la ligne de jeu. Cette libération du corps se fait de façon tranquille en apparence, alors que la spirale des bras et du buste se charge du travail. Pour éviter les hooks, Azinger garde les mains passives, pratiquement sans aucune rotation des avant-bras.

6 Les bras sont maintenant très redressés, et conservent leur position face à la poitrine. C'est ce qui se passe quand on tourne le corps correctement dans la zone de frappe, laissant toute liberté de passage et d'action du côté droit jusqu'au finish.

1
2
3
4
5
6

Le swing
de Corey

Il y a longtemps, Pavin a compris que le swing n'est qu'un moyen d'envoyer la balle d'un endroit à un autre. Qu'importe que vous y arriviez en 2 CV ou en limousine... Ce ne sont que des véhicules pour vous emmener où vous voulez. Pour Pavin, le swing de golf, sa technique et sa forme ne sont pas au centre du jeu. Tous ceux qui se sont trouvés sous la menace de ce farouche compétiteur vous le diront, il illustre parfaitement ce vieil adage: "le golf, ce n'est pas comment, mais combien".

Corey Pavin Un swing moderne

Le plus grand moment de la carrière de Corey Pavin a été sa victoire dans l'US Open 1995 à Shinnecock Hills, mais il avait déjà l'habitude du succès. Depuis ses débuts en 1984 sur le PGA Tour, il a remporté 13 victoires et plus de sept millions de dollars, neuf autres tournois internationaux et une balance de 8 victoires contre 5 défaites en Ryder Cup. Connu pour être un manieur de balle et un magnifique putter, il a démontré très jeune sa compétitivité en remportant à dix-sept ans le titre mondial junior. Il n'est pas long, mais c'est un redoutable adversaire.

Pavin est un joueur de sensations. Il conçoit ses coups en essayant surtout de sentir comment il faut swinguer le club plutôt qu'en pensant aux aspects techniques. Ce faisant, il peut mettre son corps dans des positions inhabituelles et son swing peut parfois paraître étrange, mais il ne faut pas s'y tromper, les résultats montrent que c'est un bon swing.

1 Pavin se place avec les talons plus écartés que les épaules, pour donner un solide soutien à son mouvement. Ses épaules sont presque au même niveau à l'adresse, plus que la normale. La posture est détendue, la colonne vertébrale peu inclinée, ce qui le met en position pour la rotation très à plat des épaules qui le caractérise. Il y a beaucoup d'espace entre le bout du club et le corps, pratiquement une main étendue. Le menton est "fier", prêt à laisser passer l'épaule gauche.

Notez le parfait angle droit entre la colonne vertébrale et le club, qui pointe sur la boucle de la ceinture. Cela explique sa régularité, car un objet en mouvement bouge de manière uniforme quand il tourne à 90° autour de son axe.

Avec le driver, le pied droit est un peu reculé pour encourager les trajectoires en draw qui lui permettent d'aller plus loin. Mais, selon les parcours, Pavin est capable de travailler la balle dans tous les sens. Pour un fade, il va simplement ouvrir le stance.

2 À la montée, Pavin garde les mains à l'intérieur de la tête de club jusqu'à ce qu'elle commence à s'élever et à s'ouvrir. C'est à hauteur des hanches qu'il arme les poignets.

3 À ce moment, la tête de club va pour la première fois plus haut que les mains. Le bras gauche est parallèle à l'alignement des pieds, la tête de club est montée derrière lui, le manche du club est en travers du biceps. Plus important encore, avec les mains dans cette position, la tête de club est derrière la ligne, ce qui lui donne le trajet correspondant à une rotation aplatie des épaules. Si les mains avaient traversé la ligne des pieds, il serait tellement vers l'intérieur que la tête de club serait piégée derrière lui. Notez que les yeux restent sur la balle, ce qui provoque plus encore d'inclinaison de la tête, alors qu'il tourne le dos à l'objectif.

4 Au sommet, la face de club et l'inclinaison des épaules correspondent. Si tout s'est enroulé correctement, il pourra arriver à l'impact en bonne position. Il maintient les genoux fléchis pour conserver les hanches au même niveau. Avec le coude droit pointant vers le sol, le bras gauche est dans la même position que le club à l'adresse. Tout est en place pour le retour vers la balle.

5 À la descente, le triangle formé par une ligne réunissant les coudes s'incline de telle manière que le manche de club va davantage vers la gauche avant d'agir en descendant. Ce qui amène le club en travers du biceps droit, parfaitement dans le plan. Le talon droit reste au sol jusqu'à ce que les mains passent à hauteur de la poche du pantalon, ce qui donne une grande stabilité à son mouvement vers l'impact. Les mains sont revenues dans l'alignement des pieds tout comme le club. À partir de là, il n'a plus qu'à laisser le triangle swinguer la tête de club.

6 Remarquez le résultat d'une libération bien minutée alors que le club est dans une position reflétant l'image 3. La tête est en arrière avec le manche de club à hauteur du biceps gauche, montrant qu'il est resté dans le bon plan.

Portrait
et palmarès

Brandie Burton a commencé le golf à neuf ans, et enregistré de nombreux succès chez les amateurs. Elle a disputé la finale de l'US Women's Amateur en 1989 et s'est qualifiée trois fois pour l'US Women's Open avant de passer professionnelle. Lors de son année à l'université d'Arizona State, elle était numéro 1 de l'équipe et a remporté six des sept tournois du programme. Elle est ensuite passée chez les pros et a été immédiatement élue Débutante de l'année avec huit Top-10 en 1991. Dès sa troisième année, elle a franchi la barre du million de dollars de gains, plus vite que n'importe qui auparavant ; elle est devenue la plus jeune millionnaire de l'histoire et a remporté son premier championnat majeur, le Du Maurier Classic. Elle l'a de nouveau gagné en 1998. Avec cinq victoires au total, elle a passé la barre des trois millions de dollars de gains en 2000.

Brandie Burton

1 Brandie adopte une position solide et équilibrée pour préparer son swing. Comme elle est musclée et solidement bâtie, elle cherche à faciliter sa rotation en ouvrant les deux pieds. Les mains sont en position forte sur le grip, et la balle est placée plus en arrière du stance que normalement avec un driver (à hauteur du talon gauche).

2 Le mouvement commence par un léger armement des poignets, immédiatement suivi par l'action du bras gauche et de la poitrine, comme en témoigne le logo de sa chemise. Notez que le bas du corps n'a pas bougé, les hanches restant parallèles à la ligne de jeu. Nous distinguons nettement un début de mise en tension du haut du corps contre le bas du corps. Bien qu'elle soit puissante, Brandie place déjà la tête de club en armant les poignets pour pouvoir ensuite utiliser un effet de levier.

3 Le bas du corps commence à répondre à l'action du haut. La hanche droite a tourné au-dessus du talon droit, l'épaule gauche a commencé à aller derrière la balle. À ce moment, le club est pleinement mis en position. Bien qu'elle tourne le dos à la cible, les mains sont toujours devant la poitrine, poussant le club vers l'extérieur pour agrandir l'arc de swing. Les amateurs commettent fréquemment l'erreur de placer les mains derrière eux à ce moment du swing, d'où il sera bien difficile de revenir vers la balle.

4 Le bas du corps a terminé sa rotation alors que les épaules amènent le club au sommet du swing. À la fin du backswing, le bas du corps est stabilisé, l'épaule gauche a tourné contre lui et derrière la balle. La puissance de la mise en tension des muscles est évidente au vu des plis du bas de la chemise et de la tension de la manche gauche.

À ce moment, Brandie a placé son club en position orthodoxe, parallèle au sol mais, en raison de sa souplesse et de sa conformation physique, elle n'a pu le faire qu'en pliant légèrement le coude gauche. Certains diront sans doute qu'il s'agit là d'une erreur, mais, avec un swing aussi puissant et un club parfaitement contrôlé, on doit plutôt parler d'une caractéristique individuelle. Doit-on pour autant l'imiter ? Si vous êtes un athlète qui s'entraîne et joue pour gagner sa vie, et que ce soit efficace pour vous, la réponse est oui. Sinon, concentrez-vous plutôt sur les autres aspects fondamentaux dont Brandie fait une belle démonstration.

5 Au début de la descente, le coude droit rejoint le côté droit, amenant les bras devant le corps. Brandie a reporté son poids sur la hanche gauche et commence à la tourner puissamment derrière elle, ce qui amène le club directement vers la balle. Bien que la hanche s'éloigne de la balle, la tête et le cou restent stables derrière elle, provoquant la détente du ressort tendu au backswing.

6 À l'impact, Brandie poursuit la rotation du corps pour ramener le club dans la balle. Bien que les bras accompagnent cette rotation, la tête et le cou sont toujours ancrés derrière la balle. Elle démontre ici une position commune à tous les bons joueurs, mais bien rare chez les autres : le bras gauche, la main et le club sont alignés avec la jambe droite, ce qui traduit une libération du côté droit. Notez également que le talon droit travaille vers l'intérieur. Lorsque les amateurs laissent le talon sauter en direction de la ligne de jeu, leur club coupe la balle. Le fait que le pied droit agisse vers l'intérieur permet de ramener le club de l'intérieur, et non, selon la ligne de jeu, de l'extérieur.

7 Les bras sont passés, tirant littéralement le corps derrière eux vers le finish. Brandie a parfaitement libéré le levier créé au backswing, ce que le réarmement des poignets traduit à l'évidence.

8 Dans son finish, le genou droit rejoint tranquillement le genou gauche. Du sommet du swing au finish, le genou gauche s'était écarté du genou droit, qui le poursuivait ensuite. À la fin du swing, la cheville, le genou, la hanche et l'articulation de l'épaule sont les uns au-dessus des autres, démontrant qu'elle a complètement déroulé son corps dans la balle.

2
3
4
6
7
8

Portrait
et palmarès

Dès sa première année sur le circuit, en 1995, Emilee Klein a gagné plus d'argent que les autres débutantes avant elle, en prenant deux secondes places. Des premiers pas prometteurs après une magnifique carrière amateur. Championne de Californie en 1988, junior de l'année en 1991, pendant quatre années de suite parmi les meilleures juniors des États-Unis, elle a remporté l'US Junior en 1991, la Bradmoor en 1993, le Nord/Sud Amateur en 1993, et a été élue Amateur de l'année en 1993. Au cours de ses deux années passées à l'université d'Arizona State, elle a été championne du NCAA, et nommée joueuse universitaire de l'année en 1994. En 1996, elle remporte ses premières victoires chez les pros, notamment le British Open et finit l'année parmi les dix premières en termes de gains.

Emilee a un swing personnel, dû en partie à sa posture très droite devant la balle. Mais une analyse attentive montre que ce swing adhère aux principes fondamentaux des effets de ressort et de levier.

Emilee Klein

1 Emilee est une joueuse très précise : sa position lui permet de ne pas utiliser inutilement son corps. Les pieds sont square, les genoux sont rentrés, et ces deux éléments réduisent le mouvement du bas du corps. Le dos de la main gauche et la paume de la main droite font face à l'objectif, avec un grip que l'on peut définir comme assez faible. Les mains sont centrées par rapport au corps, ce qui favorise l'arc de swing très arrondi qui constitue son style particulier.

2 Cette posture très droite l'amène à swinguer son club loin d'elle et à arrondir le backswing, avec une rotation réduite des hanches. En fait, le bas du corps est si immobile que l'on pourrait penser qu'elle va "basculer", alors que l'on voit sur l'image 4 que son poids est en réalité passé sur le côté droit. Elle est jeune et très souple au niveau des épaules, ce qui lui permet de swinguer les bras au maximum avec une action minimale des jambes. Cette souplesse n'est un avantage que si l'on trouve le moyen de ne pas trop tourner les hanches et les jambes : Emilee a résolu ce problème grâce à sa posture.

3 Emilee établit le levier de son swing par l'armement des poignets, mais plus tardivement que la plupart des joueuses. Son genou droit s'est tendu (mais pas complètement), et sert d'arc-boutant pour supporter le transfert de poids, si important dans la mise en tension musculaire. Le talon gauche commence à se soulever, mais seulement en réaction à la rotation du haut du corps derrière la balle. Dans ce swing davantage marqué par la précision que par la distance, Emilee pourrait peut-être augmenter l'effet de ressort en soulevant moins le talon gauche.

4 Son poids est maintenant porté sur le côté droit. Le talon gauche est soulevé du sol, mais la position du genou montre que l'action s'est effectuée vers l'intérieur et pas vers le haut : c'est une indication supplémentaire que le poids est complètement transféré sur le côté droit. L'erreur serait de soulever le talon et de rapprocher le genou gauche de la ligne de jeu, en gardant le poids à gauche.

5 À la descente, les hanches tournent légèrement, l'épaule droite descend et la gauche remonte, ce qui permet à Emilee de ramener le club directement sur la balle, sans la couper. À l'impact, les jambes stabilisent le mouvement, elle gagne de la puissance en frappant "contre" la résistance de la jambe gauche. Comme cette jambe est déjà raidie et que la jambe droite est presque tendue, Emilee génère beaucoup de force par le swing des bras et la libération des poignets.

6 Autre indication de la domination des bras dans ce swing, la position des épaules en 5 et en 6, pratiquement identique, et qui démontre une libération par les bras et les mains. Avec son grip faible, elle est obligée de les actionner pour ramener square la face de son club. Comme toutes les bonnes joueuses, elle garde la tête en arrière de la balle à l'impact et la hanche gauche tourne derrière elle au lieu de glisser vers l'objectif.

7 À la traversée, les bras sont étendus au maximum et commencent à tirer le corps vers le finish. L'avant-bras droit a tourné au-dessus du gauche, démontrant une fois encore la domination des bras et non du corps au moment de traverser.

8 Le pli sur la chaussure droite indique que la traversée d'Emilee n'est pas totale, parce qu'elle n'utilise pas tout le poids du corps pour frapper. C'est principalement une joueuse de mains et de bras, ce qui n'est pas mauvais, du moment qu'elle respecte les bases de l'effet de ressort musculaire et de l'effet de levier. Emilee a bâti son swing et son jeu sur une précision chirurgicale et un toucher exceptionnel.

2
3
4
6
7
8
Callaway
GOLF

Juli Inkster

Portrait *et palmarès*

Juli Inkster n'est sans doute pas aussi célèbre que Tiger Woods, mais sa carrière professionnelle a débuté de façon similaire après qu'elle eut gagné trois US Amateur consécutifs. Constamment aux premiers rangs des classements universitaires au cours de ses études à l'université de San Jose State, elle passa pro en 1983 et remporta sa première victoire après seulement cinq tournois. Elle fut élue Débutante de l'année avec cinq victoires, dont deux tournois majeurs, première joueuse de l'histoire ayant accompli un tel exploit. La saison 1986 fut tout aussi brillante, avec quatre victoires. En 1990, elle mit au monde son premier enfant et joua peu, mais elle gagna encore deux fois au cours des années suivantes. En 1994, elle eut une deuxième fille. En 2000, sa carrière comptait un total de 25 victoires, dont le grand chelem féminin ; elle avait gagné plus de six millions de dollars et entrait au "Hall of Fame".

1 Avec une excellente posture à l'adresse et un grip neutre, Juli place la balle un peu plus en arrière que la plupart des joueuses. Contrairement à Emilee Klein, les pieds sont ouverts et les genoux orientés comme la pointe des pieds, ce qui offre de solides fondations à un arc de swing vertical.

2 Comme beaucoup de golfeurs pourvus de longs membres, Juli démarre le mouvement d'une seule pièce, les épaules, les bras, les mains et le club évoluant vers le côté et loin du corps, plutôt que de manière arrondie et derrière elle. Au contraire de Brandie Burton et de Patty Sheehan, elle arme le club très tard, presque au sommet du mouvement. Ce swing est en partie "avec les bras", mais il comporte une importante mise en tension des muscles. Juli ne monte pas le club, elle "l'enroule vers le haut", ce qui n'est pas du tout la même chose.

3 En réponse à ce long démarrage, le bas du corps a tourné par rapport à l'objectif, mais Juli n'a pas laissé ce mouvement entraîner un déplacement latéral des hanches, qui peut être un problème chez quelques amateurs avec un style comparable : chez eux, la hanche droite glisse latéralement au-delà de la jambe droite au lieu de tourner au-dessus d'elle. Le bas du corps a fini son action et ne va plus bouger tandis que le haut du corps accentue la tension du ressort exercée contre cette résistance. Comme beaucoup de joueuses d'un physique analogue, elle arme les poignets tardivement (entre les photos 3 et 4). Le danger pour celles qui n'ont pas les bras et les mains solides, c'est que le club paraisse très lourd à cause de cet armement tardif, car il n'est pas soutenu par le piédestal formé par les mains. Mais la force physique de Juli lui permet de s'en accommoder et de conserver le contrôle de la tête de club.

4 La rotation est complète, mais le pied gauche est resté ancré au sol. La descente commence par un déplacement du poids du talon droit sur la plante du pied gauche, mouvement accentué par l'armement tardif du club. Ce mouvement abaisse les mains et les bras vers le sol avant qu'ils ne tournent vers la balle.

5 Une fois le poids sur la jambe gauche et les bras descendus en position, une puissante rotation des hanches dans la balle commence. La hanche gauche tourne vers l'arrière tandis que le genou droit évolue vers la balle. On peut également noter que le talon droit se soulève vite du sol, ce qui est caractéristique des joueuses qui swinguent le club selon un arc très haut, et reviennent vers la balle selon un angle très vertical. Juli ne laisse son talon se soulever qu'en réponse au mouvement du swing. Quelques amateurs le font sciemment, ce qui produit toutes sortes de balles toppées.

6 Juli utilise pleinement l'effet de levier produit par les poignets et lance le club au-delà du niveau du cou, en position très ferme derrière la balle. Pendant tout le swing, elle tourne parfaitement les épaules autour de l'axe de la colonne vertébrale. Elles ne reviennent parallèlement au sol qu'en fin de swing, après que la colonne vertébrale s'est redressée.

7 Cette merveilleuse extension des bras est le résultat de la vélocité du club le long de la ligne de jeu. Cette vitesse la tire jusqu'au finish.

8 Les bras continuent à swinguer, elle termine en position très verticale avec les mains et les bras au-dessus de l'épaule. Un magnifique swing de golf.

2
3
4
6
7
8

Portrait
et palmarès

Seules dix-huit joueuses ont jusqu'ici réuni les conditions pour entrer dans le *Golf Hall of Fame* américain. Patty Sheehan a obtenu cette consécration en remportant sa trentième victoire en 1993, et elle a ajouté un quatrième majeur à son palmarès en fin d'année. Après une carrière amateur impressionnante, marquée par de nombreux succès, elle a rejoint le circuit professionnel en 1980. Après une première victoire dès 1981, elle a pratiquement gagné dans chaque saison. En 1983 et 1984, elle remporte ainsi quatre tournois, puis cinq en 1990 (avec plus de 700 000 dollars de gains). À la fin de l'année 2000, elle enregistrait trente-cinq victoires et six tournois majeurs, plus un titre au British Open. Le total de ses gains en tournoi, représente plus de cinq millions de dollars.

Patty Sheehan

1 On notera le grip de main gauche fort, les deux pieds ouverts, les genoux pointant dans la direction de la pointe des pieds. La colonne vertébrale est légèrement inclinée à droite, ce qui place Patty derrière la balle avant même de commencer le swing. Les bras tombent naturellement des épaules, indiquant qu'elle s'est inclinée à partir des hanches sans voûter le dos. Le bras gauche est placé sur la poitrine, ce qui va faciliter le balancier des bras en travers du buste.

2 Dans un style typique du swing "moderne", qui convient au physique très équilibré de Patty, elle fait démarrer le club par un balancier du bras gauche, en pliant vite le coude droit et en armant les poignets. À ce moment, le poids n'est pas complètement passé sur le côté droit, mais cela ne saurait tarder.

3 La hanche droite commence à tourner en appui sur le talon droit, et le genou gauche est progressivement tiré derrière la balle. Elle a déjà beaucoup enroulé les muscles et va le faire encore davantage alors que le bas du corps se stabilise et que bras et épaules continuent à tourner.

4 Au sommet du backswing, le bras gauche a totalement swingué en travers de la poitrine et les épaules sont enroulées derrière la balle. Le talon gauche s'est soulevé du sol, mais tardivement dans le swing.

5 On peut voir ici pourquoi Patty Sheehan est devenue une si grande championne. Elle maintient intact l'effet de levier (source de puissance) plus longtemps que quiconque. La tête de club est encore derrière elle et au-dessus de l'épaule, alors que les bras sont revenus devant la poitrine et que les mains sont presque à l'impact. Cette position nous rappelle Mickey Wright et Ben Hogan. Elle parvient à cette position très recherchée parce que le côté droit de son buste maintient sa position tandis que le côté gauche tourne derrière elle en tirant les bras. Pour l'aider davantage encore, l'épaule gauche s'est éloignée du menton en remontant.

6 Remarquez le triangle formé par la poitrine et les avant-bras avec le manche de club au centre du corps, qui dénote une libération des bras, des poignets et du côté droit complète et au bon moment. Le centre du swing, situé juste sous la gorge, est parfaitement resté derrière la balle tandis qu'elle libère la tête de club, condition nécessaire pour un contact solide et puissant. Vous pouvez noter que la vitesse du mouvement est maintenue bien au-delà, comme en témoignera le club qui s'enroule autour du corps (8).

7 Patty continue sa rotation dans la balle par le bas du corps. Elle maintient longtemps l'angle de la colonne vertébrale et reste un peu en arrière alors que les deux bras s'étendent. La jambe gauche est encore légèrement fléchie parce qu'elle n'a pas complètement tourné les hanches.

8 Une position finale parfaite. Vous noterez la légère cassure de la chaussure droite, indiquant qu'elle supporte encore une partie du poids, mais comme sa traversée a été longue et complète, il y a un réenroulement à partir d'un relâchement total vers le côté gauche. S'il y avait un *Hall of Fame* des swings de golf, celui de Patty Sheehan y figurerait certainement.

2
3
4
6
7
8
Callaway GOLF

Portrait
et palmarès

Quand elle s'appelait encore Caroline Pierce, elle a démontré ses talents compétitifs en atteignant les demi-finales de l'English Girls, puis en 1980 et 1981 en remportant l'English International Girls. À l'université Houston Baptist, elle enchaîna les succès, figurant parmi les meilleures joueuses des États-Unis en 1983 et 1984. Après un départ modeste sur le circuit de la LPGA, elle commença à briller en 1994 avec plusieurs Top-10 et près de 85 000 dollars de gains. Elle les doubla l'année suivante avec plusieurs places d'honneur et une seconde place au JAL Big Apple Classic. Elle devait remporter ce tournoi l'année suivante avec style, étant la seule joueuse à terminer en dessous du par, avec cinq coups d'avance sur ses poursuivantes. Elle termina 22e aux gains et poursuivit sa progression. Son mariage et la naissance d'un enfant ont marqué un changement de priorités dans sa vie. Tout comme Emilee Klein, Caroline McMillan ne mesure guère plus de 1 m 65. Toutes deux ayant des membres longs et un corps mince, il n'est pas surprenant que leurs swings soient assez proches.

Caroline McMillan

1 Caroline adopte une posture assez droite, ce qui amène les épaules à tourner dans un plan plus horizontal. La balle est à hauteur du talon gauche, ce qui est idéal avec un driver. Cette position encourage un alignement parfaitement square, avec les épaules, les hanches et les pieds parallèles à la ligne de jeu, d'où sa grande précision. Les bras tombent confortablement, sans aucun indice de tension. Le pied gauche est ouvert, ce qui va favoriser un bon enroulement des muscles au backswing : c'est une bonne chose, car sa constitution favorise une rotation facile, mais pas forcément une grande mise en tension musculaire.

2 Si vous êtes de morphologie assez fine, comme Caroline, vous devrez veiller à ne pas amener le club trop à l'intérieur. Sa position redressée lui permet d'effectuer un bon déplacement des mains le long de la ligne de jeu – et pas vers l'arrière –, comme en témoigne le fait que les mains et le club sont encore devant la poitrine. Le départ du swing se fait d'une seule pièce avec un armement tardif des poignets, dont elle contrôle parfaitement le poids, comme on le voit sur la photo suivante.

3 Le backswing de Caroline a pour fonction d'amener la masse du corps derrière la balle. Il n'est pas très ample, et la tension des muscles n'est pas au maximum, car les hanches tournent presque autant que les épaules. Bien que ce backswing soit court, les mains sont en position verticale en raison de son démarrage d'une seule pièce.

4 Pour commencer la descente, les hanches opèrent un mouvement latéral subtil vers l'objectif, alors que les épaules sont encore en place, en position fermée (vers la droite de l'objectif). À ce moment du swing, on constate une augmentation de la tension entre le haut et le bas du corps, ce qui satisfait le besoin de ressort. Il est très important de noter que les hanches jouent vers l'objectif pour déclencher la descente, mais que la tête et le cou ont maintenu leur position derrière la balle : c'est une condition essentielle pour un contact puissant car c'est un élément de la mise en tension des muscles. Pour inverser le déplacement du club, elle descend les bras vers le sol, sans aucune velléité de frappe par les mains.

5 Une fois terminés le mouvement latéral des hanches et le transfert du poids sur le côté gauche, Caroline commence à tourner la hanche gauche en arrière. Ses bras ayant amené le club en position parfaite, ils sont maintenant prêts à libérer la tête de club dans la balle.

6 Caroline paraît ici bien stable, le pied droit encore très près du sol. Elle peut ainsi frapper contre un côté gauche très solide, avec la position classique à l'impact de toutes les bonnes joueuses, le dos de la main gauche face à l'objectif et le manche de club aligné avec le bras gauche.

7 Caroline conserve très longtemps le club pointé vers la poitrine et les coudes devant elle, signe qu'elle a complètement libéré le côté droit, y compris l'épaule droite. Notez que la pointe de sa chaussure gauche est légèrement relevée, montrant que son poids est parfaitement réparti entre la plante du pied et le talon gauche.

8 Un finish élégant, avec le poids complètement porté sur le côté gauche, le manche de club en travers du cou. Cela montre qu'elle n'a "rien laissé derrière", et qu'elle contrôle tout. On voit un bon finish lorsque l'on devine que le joueur pourrait garder la pose pendant longtemps. Cette image détendue de Caroline en est un excellent exemple.

2
3
4
6
7
8

Barb Whitehead

Portrait
et palmarès

En 1995, elle a connu sa meilleure saison professionnelle. Elle s'appelait alors Barb Thomas, a remporté l'Open d'Hawaï et enregistré cinq Top-20. Comme Caroline McMillan, elle a choisi une vie plus familiale, s'est mariée et a eu une fille. Sa carrière amateur a été brillante, avec des titres de championne junior de l'État d'Iowa, puis de remarquables résultats avec l'équipe de l'université de Tulsa. Elle fut désignée parmi les meilleures universitaires au niveau national en 1980, grâce notamment à une excellente troisième place au NCAA Championship. Elle se qualifia pour le circuit de la LPGA à sa première tentative en rentrant une sortie de bunker au dernier trou. Barb offre un bel exemple d'une technique solide.

1 Grâce à sa très bonne position devant la balle, Barb est une joueuse très droite. La balle est idéalement placée face au talon gauche, le bras gauche tombe naturellement sur la poitrine, prêt à agir librement. À l'adresse, Les pieds sont perpendiculaires, ce qui va lui permettre de bien enrouler et dérouler ses muscles pendant le swing.

2 Le départ des bras crée un étirement du côté gauche, élément initial d'une bonne tension du ressort musculaire. Notez que les épaules n'ont encore que légèrement tourné pour faciliter le balancier des bras, tandis que le bas du corps conserve sa position à l'adresse. Chacun de ces éléments ajoute à la précocité de la mise en tension des muscles.

3 La hanche droite a maintenant tourné au-dessus du talon droit, installant l'axe du pivot qui va servir pour la rotation du bas du corps au backswing. L'épaule gauche a tourné, comme il se doit, selon l'inclinaison de la colonne vertébrale, et paraît donc évoluer vers le bas. Bien que les bras soient encore dans le prolongement de la ligne de la pointe des pieds, les poignets ont placé la tête de club en position d'exercer un levier. Ce faisant, les mains constituent un piédestal supportant le poids de la tête de club jusqu'au sommet du swing. Nous avons là toutes les caractéristiques d'un swing moderne contrôlé par le corps.

4 Au sommet du swing, les pieds sont fermement plantés au sol. Les genoux ont peu bougé, mais le haut du corps a pleinement tourné, comme le montre la position de l'épaule gauche, largement derrière la balle. Dans le swing moderne, pour apporter un effet de ressort par les muscles, trois aspects demandent une grande attention : les épaules et la poitrine (le haut du corps) tournent beaucoup, les hanches (milieu du corps) tournent moins, les genoux (bas du corps) tournent peu. Ces niveaux s'opposent les uns aux autres, et la création d'un bon différentiel entre eux produit un maximum de tension des muscles. Si l'un de ces éléments tourne trop, la qualité de l'enroulement diminue, ainsi que la puissance potentielle.

5 Ici, Barb illustre très bien le mouvement initial qui ramène le club vers la balle. Vous pouvez constater à quel point le club évolue vers le bas, c'est pourquoi on l'appelle "downswing" ou descente. Pour ce faire, la hanche gauche a tourné au-dessus du talon gauche, mais le côté droit est resté en place pour maintenir le ressort tendu. Résultat, les mains descendent en s'éloignant de l'épaule droite.

Appelé séparation, ce mouvement descendant des bras inscrit le club dans un rail, le plaçant en parfaite position pour pouvoir tirer avantage de l'imminente rotation des épaules et des hanches. À présent, cette rotation travaille à son bénéfice pour ramener le club vers la balle. Si Barb avait d'abord tourné en laissant le club en haut, elle aurait du mal à ramener le club dans la balle et, pour y parvenir, elle serait obligée d'interrompre le puissant mouvement du corps.

6 L'action du bas du corps permet à Barb d'arriver à l'impact, mais remarquez comment la hanche gauche a tourné derrière elle au lieu de glisser vers l'objectif. Bien que le poids du corps ait glissé latéralement entre 4 et 5, elle a alors effectué une puissante rotation de la hanche gauche. On commet fréquemment l'erreur de poursuivre ce mouvement latéral en oubliant de tourner, ce qui amène le corps bien avant la balle à l'impact et diminue de manière importante le potentiel de distance. Comme toutes les joueuses de son niveau, Barb arrive à l'impact avec le club devant le corps, le bras gauche fermement connecté à la poitrine pour ajouter l'action du corps à la force de frappe.

7 La balle déjà loin, cette image montre comment Barb a relâché le levier et le "ressort" dans son coup.

8 Le finish montre qu'elle a libéré toute son énergie. Les hanches ont complètement tourné, la poitrine est face à l'objectif, elle est parfaitement en équilibre sur le pied gauche.

1
2
3
4
5
6
7
8

Chapitre cinq

Le grand jeu

Le coup de la victoire pour Corey Pavin à l'US Open 1995. Son coup de bois quatre finit à deux mètres du drapeau au 18, mais il avait été rendu plus facile par le placement du drive à droite du fairway. Le manque de longueur de Corey Pavin est largement compensé par sa précision.

Si vous demandez un jour à un golfeur comment il joue, il vous répondra : "Je tape très bien mes bois, mais mes fers sont horribles." Une semaine plus tard, il vous dira : "Mes coups de fer sont superbes, mais je n'y arrive pas avec les bois." Le golf étant le seul sport où l'on dispose d'autant d'instruments, il n'est pas étonnant que nous autres professeurs entendions toujours les mêmes plaintes. C'est le cerveau qui provoque ces différences de sensations : il choisit une idée de swing et la conserve jusqu'à ce qu'il décide de changer quand plus rien ne marche.

Essayez de penser à balayer la balle sur le tee avec un bois et à frapper en descendant sur la balle avec un fer. Les bons joueurs sont capables de passer d'un concept à l'autre et de s'adapter à la situation qu'ils rencontrent.

Le cycle infernal

Prenons un exemple pour voir comment nous fonctionnons. Si nous tapons bien les bois avec un mouvement balayant, nous aurons tendance à conserver le même mouvement pour tous les coups, la position de la balle et le stance étant inconsciemment modifiés pour jouer les bois. Il n'y a pas mieux pour topper ou faire des grattes avec un fer que de swinguer "en remontant" avec une balle en avant du stance. Si vous jouez correctement les petits et moyens fers, vous devrez taper "vers le bas" avec la balle face à la joue gauche.

Un jour, vous risquez d'avoir tant de problèmes avec les fers que vous allez vous entraîner uniquement avec eux ou prendre une leçon de jeu de fers avec un professeur. Vous allez donc commencer à bien mieux les jouer... C'est alors que vous n'allez plus taper les bois correctement, et le cycle infernal recommence : bons bois, mauvais fers, bons fers, mauvais bois, etc.

Pour vous aider à l'éviter, nous allons vous présenter une section sur les bois et une sur les fers pour que votre cerveau assimile les différences et les mécanismes adéquats.

Des cibles *spécifiques*

■ **Pour choisir votre route,** alignez-vous toujours par rapport à un endroit de la ligne que votre balle doit suivre. Ce peut être une butte, un arbre dans le lointain, ou même un nuage dans le ciel.

■ **Pour la destination,** choisissez un point précis devant votre balle (herbe de couleur différente par exemple) en direction de l'endroit d'où vous voulez jouer votre coup suivant. Une fois ce point déterminé, vous n'avez plus qu'à avoir un solide contact de balle.

Avec le driver

Sauf si vous avez un long putter, le driver est votre club le plus long. Ainsi, vous serez plus éloigné de la balle, votre swing sera plus arrondi. L'ouverture du driver est assez faible, mais le fait de le jouer avec la balle sur un tee encourage un mouvement balayant, qui optimise l'angle de lancement. Les drivers sont conçus pour envoyer la balle loin, de manière à faciliter le coup suivant.

On ne peut certes pas gagner un match uniquement avec le driver, mais on peut le perdre si on envoie la balle dans les fourrés. Harvey Penick disait que "les bois sont pleins de grands frappeurs", et c'est vrai, mais un grand frappeur nommé Sam Snead, vainqueur de 80 tournois, disait aussi : "Je préfère taper un fer sept dans le rough qu'un fer trois sur le fairway." Entre les bois et le rough, entre distance et direction, il faut faire un compromis. Vous devez assez de longueur avec le driver pour pouvoir jouer facilement le second coup.

L'overswing

Il n'est malheureusement que trop facile de faire de l'overswing avec le driver. Comme ce sont nos pulsions qui nous conduisent, nous avons naturellement tendance à cogner la balle pour parvenir aussi près du green que possible. C'est naturel, mais il faut parvenir à contrôler vos pulsions quand le score est important. N'essayez pas alors de taper le driver aussi loin que vous pouvez.

Choisissez un chemin

Comment font les bons drivers pour swinguer sans forcer et mettre la balle en position pour le coup suivant ? Ils choisissent à la fois une route et une destination finale. Vous devez faire comme eux.

Chaque fois que vous avez le driver en main, particulièrement sur les golfs très ouverts où il est important de taper loin, choisissez une route et une destination, une zone d'atterrissage précise pour la balle.

Conseil pour *les meilleurs*

Pour apprendre à contrôler votre swing au drive, placez deux balles sur un tee, côte à côte. En prenant votre plus grande vitesse comme référence, tapez la première balle à pleine vitesse et la deuxième aux trois-quarts de cette vitesse. Plus vous gagnez en contrôle du swing, plus vous saurez faire différentes distances, ce qui vous aidera, sur le parcours, à attaquer avec le driver quand c'est nécessaire, ou à jouer la sécurité quand il le faut.

Principe *de base*

Le principe de base avec le driver est de placer la balle sur tee de telle manière que la moitié dépasse du sommet du club. Si votre vitesse de swing est supérieure à 150 km/h, vous pouvez placer la balle plus haut sur le tee. Chi-Chi Rodriguez, un des plus longs frappeurs du Circuit Senior, pose toujours la balle très haut sur le tee.

Avec le driver *suite*

1

2

Particularités

■ Pour un drive normal, la balle doit être juste à gauche de la poitrine, disons à hauteur de l'aisselle. Pour être certain que sa position est correcte, placez un club à la perpendiculaire de la balle, face au talon gauche.

■ Si vous souhaitez envoyer la balle plus haut, soit pour profiter du vent, soit pour passer un obstacle, placez la balle face à l'extrémité de l'épaule, mais attention à vous rapprocher un peu d'elle, parce que la tête de club passera légèrement à l'intérieur de la ligne de jeu à l'impact, selon la trajectoire arrondie du swing. Assurez-vous bien que l'alignement des épaules est square car plus la balle est placée en avant, plus les épaules sont ouvertes.

■ Même si le trou est long, vous ne devez pas obligatoirement jouer le driver du départ. Les tests ont montré que, vent favorable, le driver ou le bois trois portent la balle à la même distance. Dans ce cas, le bois trois vous donnera un coup plus précis.

■ Quel que soit l'ensemble de votre jeu, apprenez à aimer votre driver. Vous pouvez parier que celui qui a dit "on drive pour le spectacle, on putte pour l'argent" était de toute façon un bon driver. Après avoir envoyé deux balles dans l'eau, qu'importe de rentrer un putt de dix mètres si c'est pour faire 8...

Le meilleur truc

Quand vous voulez envoyer la balle très loin, démarrez doucement avec une pression de grip réduite au minimum.

3

4

5

6

Démarrez avec le poids du corps réparti à 60 pour cent sur le côté droit et 40 pour cent sur le côté gauche. Le swing de drive réclame un mouvement fluide avec une bonne rotation et un transfert de poids important. Au sommet de la montée, 80 pour cent du poids doit être sur le côté droit. Au moment de l'impact, il doit être transféré sur le côté gauche. Au finish, tout le poids est à gauche.

Pour les *doglegs*

Vous drivez bien, sauf sur les doglegs ? Au lieu de changer de swing, ayez trois drivers. Un driver à face ouverte pour donner un effet de fade à la balle, un driver à face fermée pour donner du draw. Prenez le driver normal pour les trous droits, un driver fermé de 4° de plus pour les doglegs à gauche, et un driver ouvert de 4° de plus pour les doglegs à droite. Si vous avez envie d'essayer, allez voir un bon professionnel du réglage des clubs.

Conseil pour
les longs fers

Laissez-les à la maison !

Un autre
bon conseil

N'utilisez de longs fers que pour les poser au sol au practice, pour contrôler l'alignement.

En tapant vos fers du départ, vous avez le droit de placer la balle sur un tee. Mais faites attention à ne pas placer le tee trop haut avec les bois de parcours et les fers. Vous risquez de contacter la balle avec le haut de la face de club et de perdre beaucoup de distance. Pour ce type de coups, la bonne hauteur, c'est de pouvoir tout juste glisser la partie la moins épaisse d'un tee entre le sol et la balle.

Avec les long fers

Les longs fers (de un à quatre) ne sont pas faits pour les joueurs moyens. À moins d'être un expert, il est difficile de les taper sur le fairway parce qu'ils sont trop fermés et doivent être parfaitement touchés pour espérer lever la balle correctement.

Leur seule apparence est intimidante, avec leurs petites têtes, leurs faces verticales et leurs longs manches, particulièrement si vous ne placez pas la balle et qu'elle soit plus bas que les pieds. À moins d'établir un contact solide et de créer assez de vitesse de club, vous ne sentirez pas de grandes différences d'un long fer à l'autre, en termes de distance. Selon notre expérience, la plupart des joueurs envoient leurs coups de longs fers à la même distance, et peu importe qu'ils aient un fer un, deux, trois ou quatre, ou tous. Sauf si vous avez un handicap à un chiffre ou que vous êtes très puissant, vous avez sans doute intérêt à remplacer vos longs fers par des bois quatre, cinq et sept...

Cinq fois vainqueur du Britsh Open et meilleur joueur du monde en son temps, Tom Watson avait un swing vertical lui permettant de faire des coups de longs fers très hauts, retombant doucement pour tenir sur les greens les plus fermes.

Particularités

Bien que les longs fers ne conviennent pas à tout le monde, ils peuvent vous être très utiles si vous savez les utiliser. Comme ils permettent de faire des balles basses et longues, ils sont parfaits pour jouer dans le vent quand il faut avant tout éviter les balles hautes.

Si vous maîtrisez la technique et que vous avez du talent, vous pouvez travailler la balle avec les longs fers, prendre le virage d'un dogleg ou aller chercher un drapeau dans un coin de green. Et si vous êtes très puissants, vous pourrez apprendre à les taper haut et en douceur. Comme les émules de Jack Nicklaus, que vous verrez toujours avec un fer un dans le sac, très utile sur les trous étroits.

Le swing avec les longs fers

Il est analogue à celui utilisé pour taper le driver, c'est un mouvement de balayage, mais, parce que le manche est plus court que celui du driver, votre swing sera plus vertical. Vous ne prendrez pas de divot, il vous suffira de cueillir la balle au sol.

■ La balle doit être à hauteur de la poitrine gauche. Démarrez avec le poids également réparti entre les pieds et effectuez une montée complète, en résistant à la tentation de lever le club sans tourner le dos à l'objectif.

■ Au sommet du backswing, 75 pour cent du poids repose sur le côté droit, la hanche droite étant au-dessus du talon droit. Commencez la descente en reportant votre poids sur la hanche gauche en évitant de faire glisser la tête vers l'objectif. Les longs fers peuvent vous faire faire des âneries, la plus fréquente étant la peur de toucher le sol avant la balle. On n'oublie pas la sensation d'une "gratte"... Pour arrondir le bas du swing, transférez le poids et gardez la tête derrière la balle.

■ À l'impact, 80 pour cent du poids est passé à gauche. Finissez en reportant le reste du poids sur le côté gauche, le club au-dessus de l'épaule gauche, dénotant ainsi le relâchement complet du côté droit.

Le meilleur
conseil

Quand ils s'entraînent, la plupart des joueurs travaillent séparément le drive, le putting, le chipping, etc. Il vaut mieux se constituer un "bagage de connaissances" en s'entraînant par exemple avec les bois de parcours en même temps qu'avec les wedges, afin d'être prêt à les relier une fois sur le parcours. Mais avez-vous déjà vu quelqu'un taper alternativement un bois trois et un wedge au practice ?

Le meilleur
exercice

1. Sur le gazon, placez une balle sur un tee et jouez le bois trois en sentant bien l'action de balayage.
2. Abaissez le tee jusqu'à ce que la balle soit presque au niveau du sol. Vous devez pouvoir également taper sans prendre de divot.
3. Tapez la balle posée directement sur le sol, et toujours sans prendre de divot. Répétez plusieurs fois cet exercice en trois temps, qui vous aidera beaucoup pour jouer vos bois de parcours.

Avec les bois de parcours

1

2

En apparence, les bois de parcours sont très différents des longs fers. En commençant par les observer à l'adresse, vous pouvez parfaitement distinguer l'ouverture de la tête de club et en déduire que lever la balle ne sera pas un problème. De plus, la dimension de la tête suggère que les erreurs de frappe seront mieux pardonnées. La seule chose que vous ne pouvez pas voir à l'adresse, c'est la semelle, mais sachez que son profil est étudié pour qu'elle glisse sur l'herbe au lieu de la heurter.

Même si ces caractéristiques rendent les bois de parcours plus faciles à jouer que les longs fers, tous les joueurs ne réalisent pas à quel point ils peuvent améliorer le jeu. Vous n'êtes peut-être pas un très bon driver mais si vous arrivez néanmoins à garder la balle en jeu, savoir bien jouer les bois de fairway compensera votre manque de distance au drive.

- Considérez vos bois de parcours comme des canons longue portée qui vous amèneront assez près du green pour pouvoir ensuite mettre en œuvre votre excellent petit jeu.
- En devenant plus performant au petit jeu, et en l'associant à un bon jeu de bois de parcours, vous battrez n'importe qui.

La plupart des joueurs jouent la balle trop en avant, face au talon gauche et tapent le sommet de la balle, qui part au ras du sol. Placez la balle face au logo de la chemise, avec le poids également réparti entre les pieds. Vous devez jouer la balle avec un mouvement descendant qui s'aplatit juste avant la base de l'arc de swing. L'enroulement du dos est complet, le transfert identique à celui du driver. Avec un bois de parcours, le mouvement doit être balayant, c'est la position de la balle qui va donner son aspect "descendant" au swing. Il ne doit pas y avoir de divot.

Trois quarts *de swing*

La nécessité d'un contact de balle parfait explique pourquoi, avec les fers moyens, le swing devient plus court, se réduit aux trois quarts. Alors, le point essentiel est la position du bras gauche. Imaginez que vous êtes placé contre un cadran d'horloge, midi étant votre tête. Vous allez faire trois quarts de swing en arrêtant le bras gauche à dix heures, alors que dans une montée normale, il est entre onze heures et midi. **Mais attention :** en swinguant ainsi le bras gauche, assurez-vous que la poitrine tourne aussi.

Le meilleur conseil
Jouez les fers moyens avec trois quarts de swing, en utilisant le repère du bras gauche "à dix heures".

Avec les fers moyens

En dessinant un parcours, la plupart des architectes prévoient que si vous jouez des départs qui correspondent à votre niveau, après le drive, vous aurez à jouer beaucoup de fers moyens (cinq, six et sept) vers les greens. Avec vos petits fers, ce sont les principaux outils pour scorer.

Les fers moyens associent distance et contrôle car leur ouverture donne assez d'effets aux balles pour qu'elles s'arrêtent sur les greens. De plus, le backspin (effet rétro) diminue les effets de hook et de slice que l'on observe avec les clubs à face plus fermée comme le driver et les longs fers. C'est pourquoi les petits et moyens fers font moins tourner la balle que les autres.

On joue mieux les fers moyens en faisant trois quarts de swing. Même un joueur au swing long comme John Daly réduit la longueur de son swing et de sa traversée pour obtenir plus de précision.

Particularités

Les manches des fers moyens étant plus courts que ceux des longs fers, vous serez plus près de la balle, ce qui rendra votre swing plus vertical, et vos balles "mordront" mieux la surface des greens. Pour favoriser un mouvement descendant, placez la balle face à votre joue gauche, juste en avant du milieu du stance.

À l'adresse, le poids doit être réparti à 50-50, mais comme votre objectif est d'être précis, ne transférez pas autant le poids à droite qu'avec les longs clubs. Au sommet, 70 pour cent seront sur le côté droit, et à l'impact, pratiquement tout le poids sera à gauche, où il restera jusqu'à la finition complète du swing.

Pour bien jouer ces fers, votre contact de balle doit être solide et propre, afin d'obtenir à la fois la distance et la direction espérées. Si la balle est bien contactée au centre de la face de club, celle-ci restera parfaitement square et toute l'énergie de la tête de club passera dans la balle. Prenez un mince divot après avoir frappé la balle pour éviter que l'herbe ou la terre se coincent entre le club et la balle, ce qui la ferait voler sans contrôle.

1

Avec les fers moyens, les pieds sont un peu moins écartés qu'avec les bois ou les longs fers. La balle est un peu en avant du milieu des pieds, face à la joue gauche, afin de favoriser un angle d'attaque descendant. Bien qu'un trois quarts de swing soit bien adapté aux fers moyens, il y a encore beaucoup de dynamisme à travers la balle et jusqu'à un finish complet.

En aile *de poulet*

Quand vous devez absolument poser la balle sur le green sous pression, le coup "en aile de poulet" (chicken wing) peut être une arme supplémentaire très efficace. C'est un coup rendu fameux par Lee Trevino, et aussi par Nick Faldo pour remporter un British Open.

Prenez un club de plus (fer cinq au lieu de six par exemple) et alignez-vous légèrement à gauche. Placez la balle au milieu des pieds et faites un backswing normal. Au début de la descente, amenez le genou droit vers l'objectif pour qu'il conduise bras et mains vers l'impact. Comme la pointe de la tête de club ne doit pas passer avant le talon, gardez le poignet droit dans la même position qu'à l'adresse. Si vous maintenez bien l'angle des poignets, vous pourrez finir le mouvement les mains devant la poitrine et la face de club tournée vers le ciel.

Le secret est de laisser le coude gauche flotter, de le décoller du corps au moment d'effacer les hanches à l'impact. Vous pourrez garder la face de club square avec l'objectif bien après la frappe, avec une trajectoire plus basse que la normale et un effet de gauche à droite.

Avec les petits fers

Les fers huit et neuf, ainsi que les wedges peuvent changer trois coups en deux, c'est pourquoi il faut les travailler. Ici encore, un trois quarts de swing permet un maximum de contrôle. Comme les manches de clubs sont plus courts, on est encore plus près de la balle qu'avec les fers moyens, elle est placée quelque part entre la joue gauche et le nez. Et comme avec tous les coups, la posture est celle qui a été définie au chapitre deux.

Particularités

Par rapport à tous les clubs joués avec un plein swing, les petits fers demandent un mouvement plus compact et moins de transfert de poids. On commence à 50-50, le poids passe à 40-60 au sommet du backswing, et revient à 60-40 à l'impact. Il n'y a pas de mouvement complet du corps. Les bons joueurs de petits fers ont une vitesse de bras constante, une rotation minimale des hanches et une régularité de taux de rotation qui délivre la même force coup après coup. À 110 mètres du drapeau, ce n'est pas le moment de cogner pour retrouver la balle à 130 mètres.

Faire un mauvais swing avec le bon club est une chose, mais il est tout aussi désastreux de faire un bon swing avec le mauvais club. Plus on est proche du trou, plus il faut être précis, il est essentiel de choisir le club adéquat. Ce n'est pas toujours simple, car on peut se retrouver "entre deux clubs". L'objectif étant trop éloigné pour un fer neuf, mais trop proche pour un fer huit, le danger est que le doute fasse faire un mauvais swing.

Quand vous êtes face à un tel choix, prenez un club de moins (fer neuf au lieu de huit) et tapez fort si vous êtes un frappeur. Si vous swinguez de manière plus fluide, prenez le huit et faites un swing tranquille. Autrement dit, en effectuant le choix correspondant à votre propre tempo, vous n'aurez jamais à dérégler votre métronome intérieur, celui qui gouverne votre rythme naturel.

Un bon coup de petit fer commence par un stance étroit et finit en parfait équilibre, comme Peter Jacobsen le démontre ici.

Le knock *down*

Le coup de wedge très haut, où la balle s'arrête après un ou deux rebonds, est très utile, mais il y a un autre coup à utiliser avec un petit fer, c'est le "knock down". L'appellation est trompeuse car il faut entrer tranquillement en contact avec la balle pour éviter une force excessive qui la ferait monter très haut.

- Pour exécuter ce coup, abaissez les mains de quelques centimètres sur le grip, et placez la balle au milieu des pieds.
- Le poids du corps est réparti à 60-40 en faveur du côté gauche, et reste de ce côté pendant tout le swing. À partir de cette position, vous pourrez faire une balle basse et sous contrôle avec trois quarts de swing à la montée et en traversant.

1

2

3

Le meilleur
truc

Pour développer la sensation de rotation unifiée du haut du corps (bras et poitrine en même temps), tapez des balles en attachant le haut des bras et la poitrine. La grande championne Mickey Wright a tapé des milliers de balles avec un tube chirurgical élastique enroulé autour des bras et de la poitrine. Cet exercice lui a permis de devenir l'une des joueuses les plus précises de l'histoire.

4

5

6

Avec un petit fer, le stance n'est pas plus large que les hanches. Placez la balle un peu en avant u milieu des pieds. Comme le club est plus court vec ces fers, vous êtes plus penché, et vous devez bsolument maintenir cette position pendant toute la durée de la montée. On a souvent tendance à se redresser pendant ce genre de coups, ce qui risque de transformer votre intention de faire une balle haute vers le trou en "fusée" qui finira dans un obstacle derrière le green.

Chapitre six

Les problèmes

Bien qu'un coup dans une telle pente soit très difficile, Greg Norman finit bien en équilibre, ce qui démontre un coup bien réussi dans une telle situation.

En arrivant à votre balle, la première chose à faire, c'est d'examiner dans quelle position elle se trouve par rapport au sol et à l'herbe. Cette position va vous imposer un certain type de coup, soit un coup spectaculaire de 180 mètres au-dessus d'un arbre, soit la prudence, par exemple ne pas même essayer de mettre votre balle sur un green à trente mètres. Une partie du talent d'un joueur consiste à "lire" une situation et à pouvoir exécuter le coup adéquat. Nous allons vous présenter dans les pages suivantes plusieurs situations différentes, de l'herbe rase et rare à la balle enfoncée. Chacune de ces situations impose que la tête de club soit placée de façon différente par rapport à la balle. Plus la situation de la balle est favorable, plus la semelle pourra reposer au sol. Plus la balle sera enfoncée, plus la tête de club reposera vers le talon, vous obligeant ainsi à vous éloigner de la balle. Quand l'herbe est rase, le club reste davantage vers la pointe, et vous vous rapprochez de la balle.

Situations délicates autour du green

Positions difficiles

Quand il y a peu ou pas d'herbe sous la balle, il importe d'abord de déterminer avant tout sur quoi elle repose. Est-ce du sable, de l'herbe un peu boueuse, ou un sol très dur ? À chaque situation va correspondre une position qui modifie la longueur, le chemin et le rythme du swing.

Herbe rare

Disons qu'il y a peu d'herbe sous la balle et qu'elle pousse seulement par endroits. Dans une telle situation, prenez le wedge ou le sand wedge qui vous donnera assez d'ouverture pour arrêter la balle sur le green.

1

2

3

4

5

Si votre position est bonne, vous avez toutes les chances de résoudre les problèmes délicats. Le danger est de frapper derrière la balle, de heurter le sol avec le club. Pour l'éviter, placez votre poids sur la hanche gauche et tenez-vous plus près de la balle avec une colonne vertébrale plus droite. Le club est alors plus vertical, et sa tête repose sur la pointe, ce qui diminue l'importance du rebond de la semelle. Ainsi, le club est moins en contact avec le sol. Cette position redressée vous fait relever les mains à l'adresse, ce qui évite de trop armer les poignets.

Comme le talon du club est au-dessus du sol, placez la balle vers la pointe, là où vous souhaitez contacter la balle. Frapper de cette manière est non seulement plus sûr mais cette frappe légèrement excentrée fait partir plus doucement la balle. Une fois bien préparé, il ne vous reste plus qu'à faire un swing normal.

Situations délicates autour du green *suite*

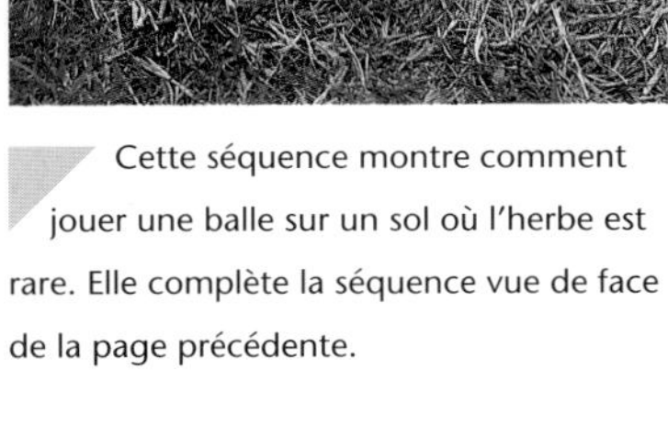

Cette séquence montre comment jouer une balle sur un sol où l'herbe est rare. Elle complète la séquence vue de face de la page précédente.

Sur un sol dur

Quand votre balle repose sur un sol très dur, et sans herbe, le pire est de faire rebondir la tête de club et qu'elle touche le milieu de la balle, ce qui provoquerait une "fusée" incontrôlable.

Pour bien jouer dans cette situation, prenez un wedge ou un sand wedge et placez-vous par rapport à la balle selon la trajectoire voulue :

- Balle en avant pour une balle haute ;
- Balle au milieu pour une trajectoire normale ;
- Balle en arrière pour une balle basse.

Comme dans le cas précédent, rapprochez-vous assez de la balle pour que la tête de club repose sur la pointe, le manche étant aussi vertical que possible. Ainsi, vous ne marquerez aucun angle du poignet gauche, et la tête de club ne tombera pas plus bas à l'impact qu'elle n'était à l'adresse.

Placez les pieds en fonction de la longueur du coup à jouer : ils seront écartés et square pour un grand coup, et progressivement plus rapprochés et ouverts quand la distance diminue. Pour raccourcir la distance de vol, ouvrez le stance en reculant le pied gauche avec la face de club légèrement à droite de l'objectif. Et faites un swing de pitching wedge.

Balle enfoncée

Quand la balle est enfoncée dans l'herbe, la tête de club doit reposer sur le talon, la pointe étant légèrement soulevée, c'est-à-dire à l'inverse de la position sur un sol dur. En plaçant ainsi le club, vous allez accentuer l'importance du rebond ainsi que la surface de frappe, ce qui vous aidera à faire passer la tête de club à travers le gazon, à avoir un bon contact de balle.

Si vous êtes plus éloigné de la balle, les mains sont plus basses, les poignets déjà cassés, et le swing sera plus direct, de manière à ce que l'herbe derrière la balle ait moins d'effet. De plus, en abaissant les mains, les épaules s'inclinent davantage pendant le swing, ce qui donne un swing plus vertical, ajoutant encore au fait de couper la balle : c'est exactement ce qu'il faut pour la faire sortir. Si le club est sur le talon, faites simplement attention à placer la balle bien au milieu de la face de club pour éviter tout risque de socket.

L'herbe profonde peut bloquer la base du manche de club, ce qui fait refermer la tête à l'impact. Vous risquez ainsi d'envoyer la balle à gauche de l'objectif. Pour l'éviter, alignez-vous un peu à droite. Naturellement, vous devrez swinguer un peu plus fermement que d'habitude avec une pression de grip plus forte, ce qui vous aidera à garder le contrôle du club au moment où il entre dans l'herbe.

En résumé

La situation de la balle détermine la position dans chaque cas. Une bonne façon de vous en souvenir, c'est de penser "mains hautes" quand la balle est placée haut sur un sol ras, "mains basses", quand la balle est enfoncée dans l'herbe. La manière de placer la face de club plus ou moins sur la tête ou le talon du club dépend de la position de la balle. Plus le sol est ras, plus les mains sont hautes, plus la balle est enfoncée, plus les mains sont basses.

Sur un sol *sablonneux*

La proportion de sable est le facteur déterminant dans ce type de situation. Vous pouvez par exemple jouer la balle comme dans un bunker en tapant d'abord le sable, délibérément, ou alors faire un coup de pitch en prenant directement la balle. Il est souvent difficile de déterminer exactement quelle est la consistance du sol sous la balle, car les règles ne vous autorisent pas à améliorer votre situation, d'où le danger de toucher le sol. Il vaut mieux sonder le sol assez loin de la balle, et si vous rencontrez une texture paraissant similaire, faites un coup d'essai. Si le sable est poudreux, n'hésitez pas à jouer en explosion, comme dans un bunker.

S'il n'y a pas beaucoup de sable, ou si vous n'êtes pas très sûr de la situation exacte de votre balle, il vaut mieux jouer "clean" avec un coup de pitch que de tenter une explosion. Si jamais le sol est plus dur que vous ne le pensiez, une explosion risque d'envoyer la balle beaucoup plus loin que vous ne le souhaitez, alors que si vous manquez votre pitch, vous resterez simplement court de l'objectif.

Situations délicates autour du green *suite*

Chippez avec un bois

Si la balle est juste en dehors du green et qu'aucun obstacle entre vous et le drapeau vous empêche de la faire rouler, le bois de parcours est l'instrument idéal. Prenez un bois sept par exemple, car il est assez ouvert pour lever la balle de l'herbe, et son manche assez long vous permet d'avoir un swing compact le long du sol. Si vous n'avez pas ce club, adaptez vos autres bois de parcours en ouvrant un peu la tête de club et en plaçant la balle plus en avant du stance.

Pour faire un chip avec un bois, prenez le grip de putting ou celui du grand jeu, peu importe, ouvrez un peu le stance et placez le manche du club assez vertical. Vous devrez vous redresser pour vous adapter mais attention à bien rester sur le pied gauche afin de ne pas déplacer les hanches en montant le club.

Faites comme si vous aviez un putter, en conservant l'angle du poignet droit formé à l'adresse pendant tout le mouvement pour éviter l'action des poignets. Laissez jouer la tête de club dans la zone de frappe comme si c'était une extension des bras conduisant la balle sur l'objectif.

Le coup du collier

De temps à autre, la balle s'arrête dans la zone d'herbe un peu haute entourant le green que l'on nomme “collier”. Juger ce coup est assez difficile, car l'utilisation d'un chip ou d'un pitch ne vous donnera pas un très bon contact de balle, à cause de l'herbe. Utilisez le bois trois comme si c'était un chipper. Le poids et la masse de la tête de club garantissent qu'elle glissera sur le gazon et touchera proprement la balle. Comme pour le chipping, placez la tête du bois trois sur la pointe, fermez la face et grippez bas comme avec le putter. Le stance doit être étroit et ouvert, jouez exactement comme un putt de la même distance. La balle va sauter un peu, puis rouler vers le trou comme un putt.

Autre solution : prenez le putter et adressez la balle de manière à ce que la pointe soit au niveau du sommet de la balle. Le secret, c'est de taper fermement, en conservant la pointe du putter en direction du trou pendant tout le mouvement.

Vous pouvez tout aussi bien jouer ce coup en frappant le milieu de la balle avec le bord d'attaque du sand wedge. Ainsi, seule la tranche de la face de club touchera la balle, vous n'avez donc pas à vous soucier que l'herbe se coince entre les deux. Pour faire faire un petit saut à la balle, de manière à ce qu'elle roule ensuite avec pas mal de topspin, utilisez votre mouvement de putting, sans action de poignets. Placez seulement le poids sur le côté gauche, effleurez l'équateur de la balle avec l'arête du club en conservant un mouvement tranquille.

Quand la balle est juste en dehors du green, oubliez les numéros des clubs et jouez celui qui vous paraît le mieux adapté. Votre but est de poser la balle au sol le plus vite possible. Peu importe de prendre un sand wedge, un fer cinq, un bois trois ou un putter, l'essentiel est de mettre la balle près du trou.

Comme au *putting*

Dans les situations délicates illustrées ici, le dénominateur commun est que le coup le plus sûr est celui qui se passe autant que possible au niveau du sol. Une raison majeure d'échec résulte d'un swing très vertical, où la face de club s'ouvre, ce qui induit un effet latéral à la balle. Le problème de ce genre d'effet est que l'on n'est jamais sûr que la balle s'arrêtera vite ou continuera à rouler. Cet effet étant l'ennemi des balles qui doivent rouler, vous devez faire votre possible pour garder basse la tête de club.

Pleins swings en position délicate

Face à une situation délicate à distance du green, mettez en œuvre votre science de la gestion d'un parcours. Souvent, vous devrez jouer la sécurité plutôt que de tenter de faire 180 mètres. mais si vous pouvez prendre le risque et si vous êtes maître de votre technique, n'hésitez pas à attaquer le green.

Sur une herbe rare

Si votre balle repose sur un sol pratiquement sans herbe, votre position comme votre swing doivent garantir que vous allez prendre la balle proprement. C'est un peu plus facile de jouer un petit coup dans ce type de situation, mais un plein swing demande un peu d'attention pour le transfert de poids et la forme du coup.

À partir du moment où la hanche gauche constitue l'axe autour duquel va tourner le swing, le transfert de poids va être réduit mais la rotation complète. Vous devez cueillir la balle du sol, et même la frapper un peu trop "clean", votre swing va s'effectuer au niveau du haut du corps, principalement avec les bras et les épaules. Dans ces conditions, prenez un club de plus que normalement. Notez bien que la balle partira plutôt en fade avec la face de club légèrement ouverte à l'impact, mais la perte de distance sera compensée par le fait que la balle va bien monter. Pour mieux réussir encore, placez-la un peu en avant du stance et reculez un peu le pied gauche.

Dans un rough épais

Quand vous trouvez la balle très enfoncée, réfléchissez à deux choses : "Quel score dois-je réaliser sur ce trou" et "Comment l'herbe va-t-elle jouer sur mon swing". Si vous êtes en match et que votre adversaire est déjà sur le green, vous n'êtes pas dans la même situation qu'au second trou d'un tournoi en 36 trous stroke-play. Vous devrez jouer en fonction des circonstances et de la situation exacte de la balle.

Pour remporter l'US Open, Scott Simpson a eu besoin d'une panoplie complète des coups de golf, dont le moindre n'était pas la capacité à extraire la balle d'un rough montant à hauteur du genou, avec une face de club fermée.

Sur des *aiguilles de pin*

L'image des aiguilles de pin permet d'évoquer les situations difficiles où la balle est placé au-dessus d'un terrain ferme, sur un lit de feuilles ou de brindilles. D'abord, il faut éviter de poser le club au sol, afin d'éviter le risque de pénalité si d'aventure vous faisiez bouger la balle en vous mettant à l'adresse.

Pour ce type de coup, placez la tête de club au-dessus de la balle, ouvrez le stance et, le poids fermement porté sur le côté gauche, cueillez la balle de son "tapis". Pour ce faire, la balle doit être au milieu des pieds. Plus court sera le coup, plus court sera le backswing, avec un transfert de poids minimal. Autour du green, le swing se fait avec les bras, sans action des poignets, comme pour un chip.

Pour un plein coup, il faut une bonne rotation des épaules avec un armement normal des poignets, mais le poids va rester sur le côté gauche. Ainsi, vous pourrez enrouler le buste autour de la colonne vertébrale sans que vos pieds se déplacent. La trajectoire de balle sera plutôt basse, réglez votre plan en fonction. Comme pour les longues sorties de bunker de fairway, pensez plutôt "top" que "gratte".

Pleins swings en position délicate *suite*

Il y a certaines positions de la balle dans un haut rough où la seule chose à faire est de prendre le sand wedge pour extraire la balle et la ramener à tout prix sur le fairway. Tout dépend de l'épaisseur et de la texture de l'herbe. Même si les longues herbes comme on en trouve en Irlande, en Angleterre ou en Écosse vous semblent moins épaisses que sur les parcours continentaux, elles sont difficiles à négocier. Leur texture est solide, mais elles sont assez espacées pour que la balle tombe jusqu'à leur pied, et seuls les plus costauds peuvent en sortir. Dans les pays tropicaux, on trouve souvent de l'herbe bermuda. Elle n'est pas très haute ni aussi impressionnante que la fétuque britannique, mais cette herbe noueuse peut étouffer votre tête de club.

Tout ceci pour dire que vous devez absolument savoir à quelle nature de gazon vous êtes confronté et régler votre jeu en conséquence. Quand vous jouez un parcours pour la première fois, demandez conseil au pro. Sur votre parcours, entraînez-vous dans toutes les sortes de rough pour voir quel effet ils ont sur la distance et la direction de vos coups.

Une chose certaine, c'est que – quel que soit leur type – les herbes épaisses s'enroulent autour du manche du club, ferment la face de club et provoquent des trajectoires basses et à gauche de l'objectif. Plus vous swinguez fort, plus l'effet sera amplifié, c'est pourquoi la distance que votre balle doit parcourir influe sur l'importance de votre alignement à droite du but. Plus vous devez aller loin, plus vous devez viser à droite. Évidemment, vous ne pouvez pas prévoir exactement ce qui va se passer. S'il y a du danger à droite, il est prudent de ne pas trop viser de ce côté. C'est pareil pour les dangers à gauche. Greg Norman en fut victime au 18 du Doral Open 1995. Au coude à coude avec Nick Faldo, le rough ferma la face de son club et il précipita son coup de fer six dans un lac, perdant ainsi le tournoi.

Quand c'est plus dur qu'il n'y paraît

La plupart des situations difficiles ont un degré de difficulté évident : une balle enterrée dans le sable, une balle dépassant à moitié de l'eau, une balle en suspens dans une forte pente exigent visiblement une attention immédiate. Mais certaines situations paraissent beaucoup plus simples, et l'on peut facilement négliger leur effet sur la balle.

Contre l'herbe

Quand l'herbe pousse dans la direction opposée à votre swing, le danger est de prendre de l'herbe avant la balle, ce qui ralentit la tête de club et réduit par conséquent la portée de balle. De plus, l'herbe peut aussi s'enrouler autour de la tête de club et la balle finira à gauche.

Dans une telle situation, il faut faire un swing plus vertical que normalement, afin de toucher la balle en premier et d'éviter l'herbe. Pour ce faire, jouez la balle au milieu du stance ou même un peu en arrière. Prenez un club plus fermé, ouvrez le stance et tenez fermement le grip.

Comme nous l'avons vu pour la balle enfoncée,

Pour traverser l'herbe, la tête de club doit arriver sur la balle dans un angle très direct. Pour cela, jouez la balle en arrière du stance. Pour accentuer encore ce chemin vertical et créer un angle d'attaque correct, placez le poids vers la hanche gauche et gardez-le ainsi pendant le swing. Tenez le club un peu plus court avec une prise ferme parce que vous aurez besoin de contrôle à l'impact. Levez le club au-dessus de la balle afin de faire un démarrage en douceur sans toucher l'herbe. À l'impact, vous devez maintenir la face de club ouverte car l'herbe peut ralentir le talon du club. Le coude gauche va finir horizontalement, la paume de la main droite restant face au ciel.

un des aspects les plus difficiles quand le grain est contraire, c'est l'alignement. Plus vous êtes loin et l'herbe gênante, plus vous devrez viser à droite de l'objectif, et le plus dur est de se décider à le faire, même si vous savez qu'il le faut.

Avec l'herbe

Quand l'herbe pousse dans la même direction que le swing, elle agit comme une rampe de lancement, et vous devez vous attendre à un "flyer", le genre de coup qui vole plus que la normale et dépasse volontiers le green.

Placez la balle un peu en avant du stance et prenez un club de moins (six au lieu de cinq par exemple). Ouvrez le stance ainsi que la face de club et faites un swing tranquille avec un transfert de poids normal.

La pire chose à faire, c'est de vouloir lever la balle avec un mouvement vertical des bras, et sans transfert, qui amène la tête de club dans l'herbe et

Pleins swings en position délicate *suite*

pas directement sur la balle. Attachez-vous à avoir un solide contact, traversez bien et considérez le gazon comme un ami.

La balle en suspension dans l'herbe

Cette situation est analogue à celle de la balle sur un tee... sauf qu'elle ne se trouve pas sur un tee et que vous risquez de passer en dessous. Alors, la balle n'ira pas loin, ni dans la bonne direction. À partir du moment où la balle est à quelques centimètres au-dessus des pieds, si vous faites un swing normal, la tête de club va revenir sur la balle dans un angle direct et vous la contacterez au niveau du sommet de la face de club.

Pour éviter cette erreur, vous devez effectuer quelques réglages de votre position. D'abord, reculez le pied droit et veillez à ce que l'épaule gauche soit alignée vers la droite de l'objectif. Cette position fermée favorise un arc de swing arrondi qui va neutraliser la tendance à faire un swing très vertical. N'oubliez pas de vous aligner à droite, à cause du stance fermé.

Jouez en plaçant la balle plus en avant du stance. Si vous jouez habituellement la balle au milieu des pieds, placez-la face au logo de la chemise. Et si vous la jouez déjà face au logo, placez-la vers le talon gauche. Enfin, prenez un club de moins (fer sept au lieu de six...).

Le dernier réglage est crucial. Vous devez garder la tête de club derrière la balle et au-dessus du sol. Deux raisons à cela. En premier lieu, si vous posez la tête de club derrière la balle, vous courez le risque de prendre appui sur l'herbe et de faire bouger la balle. Si elle quitte sa position, vous écopez d'une pénalité, alors que si vous n'avez pas posé le club au sol, vous n'êtes pas officiellement "à l'adresse" (selon la définition des règles) et vous n'avez pas de pénalité si la balle bouge.

Ensuite, le fait de garder le club en suspens vous donne plus de chances de bien contacter la balle. Vous devez absolument frapper l'arrière de la balle et non le sol, c'est pourquoi il faut le préparer à l'avance.

Bien que la situation paraisse plus facile, quand la balle perchée, il faut être encore plus attentif.

Pour éviter que la tête de club passe sous la balle, soulevez-la du sol à l'adresse.

Dans un divot

Retrouver sa balle dans un divot n'est pas bien chanceux, mais la sortir de là n'est pas si difficile qu'on le croit. Suivant la position de la balle, il existe différents coups et différentes techniques. Si la balle se trouve en avant du divot, votre objectif va être de la balayer en faisant un swing normal. Si elle est vers l'arrière du divot, vous allez modifier votre swing pour la puncher. Quel que soit son emplacement, rapprochez-vous de la balle, ce qui va faire monter le club plus verticalement, réduisant ainsi le risque de toucher le rebord du divot.

Balayez la balle

Cela peut paraître difficile, mais quand la balle est en avant du divot et qu'il n'y a aucun obstacle au passage de la tête de club, faites un swing normal. La seule modification, c'est la position.

Quand la balle est en avant, balayez-la.

Placez la balle deux ou trois centimètres plus en avant de la position normale. Cela vous permettra de balayer proprement la balle, en utilisant le divot pour guider le chemin du club. Si le divot est profond et dirigé à gauche de l'objectif, ouvrez la face de club pour pouvoir faire un fade revenant vers l'objectif, puis swinguez le long de la ligne du divot. Si celui-ci est orienté à droite, fermez légèrement la face de club pour favoriser un draw ramenant la balle vers l'objectif et swinguez selon la ligne du divot.

Dans un divot
au bord du green

Si vous êtes hors du green avec la balle dans un divot, jouez simplement un chip avec un club très ouvert. Mais si le rebord du divot est profond et le drapeau au fond du green, cela peut paraître étrange, mais vous pouvez jouer un "putt toppé". Vous allez frapper le haut de la balle de façon à la faire jaillir de la lèvre du divot, pour qu'elle saute et atterrisse sur le green pour rouler vers le trou avec beaucoup de topspin.

Jouez la balle face au pied droit de manière à avoir les mains très en avant. Faites un geste très abrupt et descendant qui va pincer la balle et la faire monter. Soulevez le putter à hauteur du tiers supérieur de la balle et faites un swing des bras et des épaules sans action de poignets.

Quand on utilise le putter dans un divot, on a tendance à forcer, alors qu'il suffit d'un geste tranquille, pas plus fort que pour un putt de la même distance. Faites quelques coups d'essai et essayez de bien sentir la force nécessaire.

Pleins swings en position délicate *suite*

Ou alors, punchez

Quand la balle tombe dans un divot et s'arrête devant la lèvre arrière, il faut la déterrer, et donc jouer une balle basse et roulante. Placez-vous avec la balle quelques centimètres en arrière du milieu du stance et prenez un club de plus que normalement. Descendez un peu les mains sur le grip et swinguez de manière directe sur l'arrière de la balle avec une traversée réduite. Pour le choix du club, prenez un petit ou un moyen fer et n'ayez pas peur de bien frapper.

Si la balle est en arrière du divot, jouez un coup punché.

Votre balle va jaillir très bas et beaucoup rouler, vous devez donc vous aligner un peu à droite. Et ne sous-estimez pas les pièges de l'architecte s'il a placé un obstacle sur votre route, particulièrement de l'eau. Rappelez-vous que votre objectif est avant tout de bien préparer le coup suivant.

1

2

3

4

5

6

Un coup dans l'eau

Quand votre balle se retrouve dans une flaque d'eau temporaire après une averse, on dit qu'elle est dans de l'eau "fortuite" et vous pouvez vous en dégager sans pénalité. Mais si elle se trouve dans un obstacle d'eau, vous aurez un point de pénalité pour vous en sortir, à moins de la jouer où elle se trouve.

Dans ce cas, la balle est généralement trop enfoncée pour pouvoir la jouer. Mais si d'aventure elle se trouve près de la rive et qu'elle est seulement à moitié recouverte d'eau, vous pouvez essayer de la sortir.

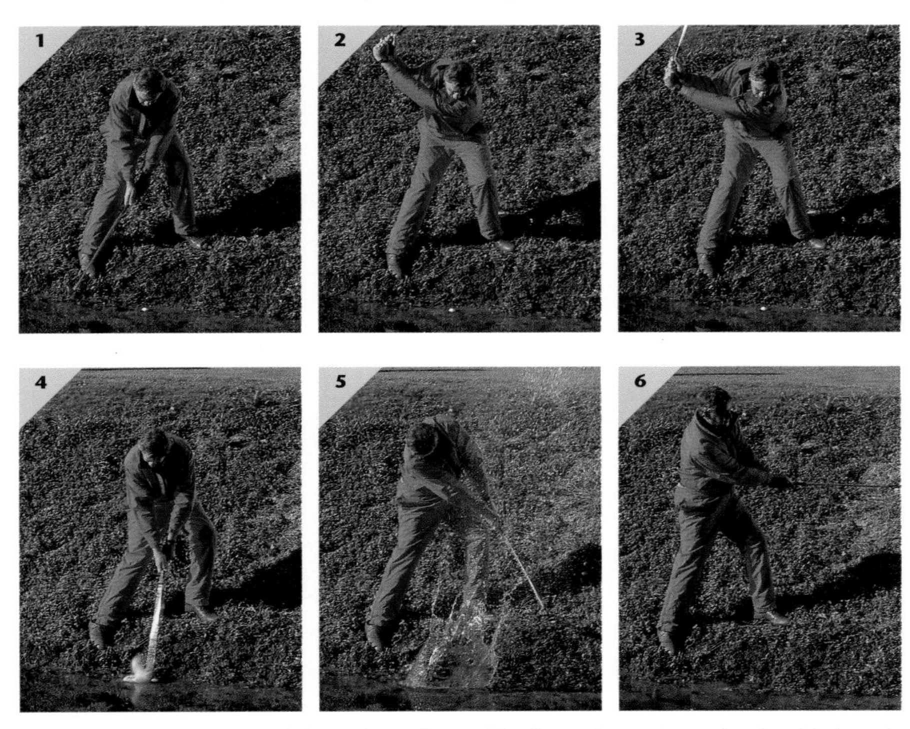

Quand la balle est plus qu'à demi submergée, ne tentez pas ce coup. Mais si vous décidez de jouer, voici comment faire. Écartez bien les pieds pour rester stable : la dernière chose à faire est de perdre l'équilibre. Vous allez uniquement faire jouer le haut du corps avec un swing de bras et d'épaules et très peu de transfert de poids. Jouez la balle au milieu du stance et tapez de haut en bas, en prenant un minimum d'eau derrière la balle. Faites une traversée plus courte que normalement, et faites bien attention à ne pas bouger la tête par crainte de vous arroser.

Cela vaut-il *la peine ?*

Devant un coup dangereux, pensez d'abord où vous en êtes dans la partie. Est-ce le moment de prendre un risque, ou vaut-il mieux dropper la balle en prenant un coup de pénalité ? Par ailleurs, quelle distance pouvez-vous espérer faire couvrir à la balle ? Si vous ne pouvez espérer faire, au mieux, que quelques mètres, droppez la balle. Si vous pouvez vraiment vous rapprocher du green, cela vaut peut-être la peine de tenter le coup.

Les bons *clubs*

À moins que la pente soit très faible, renoncez aux longs fers et aux bois de parcours. La distance réclame peut-être un coup de bois trois, mais l'évaluation de vos talents vous conseille de jouer un coup en sécurité, et de compter sur une bonne approche pour ensuite sauver le par. Pour un joueur moyen, prendre des clubs plus fermés que le fer cinq est très aléatoire.

Dans les pentes

Ceux qui ne jouent pas au golf se demandent pourquoi les golfeurs semblent trouver leur sport difficile. Il ne faut pas longtemps aux débutants pour réaliser que le golf ne consiste pas seulement à taper dans une balle. Les coups dans les pentes sont quelques exemples de situations où savoir faire un swing ne suffit pas si l'on n'a pas la technique adéquate. Le golf est aussi appelé sport d'une vie parce qu'il faut une vie pour en maîtriser tous les aspects. Si vous y parvenez, le golf ne sera toujours pas facile, mais en tout cas moins difficile que les golfeurs l'imaginent.

Un stance précaire

Les architectes de golf parsèment à plaisir les parcours de buttes, de dépressions remplies d'herbe, de bunkers et de divers monticules afin de proposer de nouveaux tests à votre invention comme à votre appréciation de la bonne position. Et comme vous devez avant tout rester en équilibre, même au détriment du swing, un équilibre instable peut vous perturber. Quand vous êtes à mi-pente ou perché dans la butte d'un bunker, il n'y a pas de place pour effectuer un transfert de poids et un grand mouvement du corps. Alors, vous devez jouer avec le haut du corps : avec les poignets, les bras, les épaules.

Avant tout, gardez l'équilibre

Quand vous êtes en position instable, pensez d'abord à assurer votre équilibre pour pouvoir faire un swing. Mettez-vous en position, ancrez bien les pieds au sol et swinguez le club bien au-dessus de la balle pour estimer quel sera l'effet du mouvement sur votre stabilité. Faites vos coups d'essai comme celui que vous voulez exécuter, sans toucher la balle bien sûr. Une fois prêt et confiant, laissez-vous guider par une seule idée, garder les genoux fléchis pendant tout le swing : dans une situation précaire, on a souvent tendance à écraser les genoux et à faire une gratte, ou encore à se redresser et faire un top.

Dans une pente, garder son équilibre est prioritaire, bien que ce soit parfois presque impossible.

Au-dessus ou en dessous des pieds

Quand on tape des balles au practice, on le fait pratiquement toujours à plat. Le cerveau apprend ainsi à faire un swing "à niveau" et à ajuster notre équilibre en conséquence. Mais si vous avez déjà joué au golf, vous savez qu'il peut parfois vous arriver de vous retrouver dans une situation où la balle est plus haute ou plus basse que les pieds. Si vous ne savez pas vous adapter, vous risquez quelques catastrophes. Il faut en premier lieu comprendre les effets d'une situation, se placer correctement et faire un swing aussi proche que possible de la normale.

Caractéristiques des différentes pentes

Jouer les coups en pente représente un défi pour tous les joueurs. Pour les exécuter correctement, vous devez d'abord comprendre les effets de telles positions sur votre swing. Voici les quatre types principaux de coups :

1. Balle plus haut que les pieds.
2. Balle plus bas que les pieds.
3. Balle en descente.
4. Balle en montée.

Pour chacun d'eux, il y a une trajectoire de balle prévisible et des ajustements à faire en conséquence pour compenser ces effets créés par la pente. Les forces de gravité exercées vont compromettre votre capacité à garder votre équilibre pendant le swing. Nous allons vous expliquer comment ajuster votre position pour compenser ces forces, mais dans tous les cas, vous réussirez mieux en ne faisant que trois quarts de swing.

Les effets des pentes

1. La balle suit l'angle de la pente.
2. L'ouverture de la face de club pointe dans la même direction que la pente.
3. On perd l'équilibre vers le bas de la pente.
4. Le bas de l'arc de swing est altéré par la pente.
5. Le chemin et le plan de swing sont altérés par la pente.

Les ajustements

Bien que les pentes soient souvent contraires les unes aux autres, il existe des réglages "standard". Dans tous les cas, pensez d'abord à assurer votre équilibre en vous ancrant bien au sol contre la force de gravité. Inclinez les épaules de manière à épouser la pente, afin de faire un mouvement dans le sens de cette pente. Celle-ci provoque des modifications de l'arc de swing et vous devez vous placer en conséquence par rapport à la balle. Enfin, le fait d'ouvrir ou de fermer le stance va neutraliser l'effet de la pente en plaçant les hanches à niveau.

Une fois les ajustements de position effectués, il ne vous reste plus que deux choses à faire : d'abord, effectuer tranquillement trois quarts de swing pour avoir un contrôle maximum, ensuite, accorder toute votre attention à l'objectif.

Dans les pentes *suite*

Balle au-dessus des pieds

Quand la balle est plus haute que les pieds, vous devrez faire un swing plus aplati, plus autour de vous, ce qui incite la balle à voler vers la gauche de la cible, avec un effet de droite à gauche. Dans cette situation, comme vous aurez tendance à faire un pull ou même un hook, il faut opérer des réglages importants pour limiter cet effet.

Comme tous les bons swings dépendent d'un bon équilibre, la première chose à faire est de neutraliser la tendance à tomber dans le sens de la pente. Fléchissez les genoux en portant le poids sur la plante des pieds et conservez-le ainsi pendant tout le swing. Assurez-vous bien que le poids est porté sur l'intérieur du pied droit, car vous risquez que le mouvement créé par votre rotation vous entraîne vers le bas de la pente ; c'est pourquoi le côté droit doit être solide.

Prenez au moins un club de plus et abaissez les mains sur le grip pour être plus près de la balle. Celle-ci doit être en arrière du stance parce que le bas du swing intervient plus tôt quand la balle est plus haute que les pieds. Pour tenir compte de la trajectoire de balle probable, fermez les épaules, orientez la face de club à droite de l'objectif. Les épaules et la face de club étant placés à droite, votre chemin de swing va être de forme intérieur-extérieur, ce qui va compenser la tendance vers la gauche. Une fois bien aligné, swinguez normalement le club, car c'est votre position qui va déterminer le chemin de swing.

Une balle au-dessus des pieds aura tendance à voler vers la gauche de l'objectif.

En résumé

1. Posez le club pour installer votre posture et le plan de swing.
2. Abaissez les mains selon la pente.
3. Placez la balle vers l'arrière du stance par rapport à sa position normale.
4. Tenez-vous plus droit avec les genoux fléchis.
5. Faites trois quarts de swing en veillant à garder constamment votre équilibre.

Balle en dessous des pieds

Avec la balle plus bas que les pieds, le swing va être plus vertical, la face de club aura tendance à pointer vers la droite de l'objectif à l'impact, avec une trajectoire de balle de gauche à droite. Sans correction adéquate, votre coup va partir bas et à droite.

Avant de placer les pieds, posez la tête de club sur la pente, avec le manche plus vertical que la normale. C'est ce qui va déterminer votre posture et votre plan de swing. La position verticale place le club vers la pointe et oriente la tête de club vers la droite. Comme la balle est plus loin de vous, le bas de l'arc de swing va se produire plus tard. Afin de taper solidement la balle et de laisser le temps à la face de club de se remettre square, jouez la balle plus en avant du stance, ce qui va placer les épaules vers la gauche, compensant ainsi la tendance de la balle à partir à droite de la cible.

Avec la balle en dessous des pieds, elle est plus éloignée, rapprochez-vous donc un peu, écartez un peu plus les pieds et fléchissez davantage les genoux pour retrouver le bon niveau. Rapprochez les genoux et tournez les pieds vers l'intérieur pour limiter le mouvement latéral. Placez le poids du corps vers les talons et dans la pente pour bien ancrer le bas du corps. Comme la pente risque de vous entraîner vers l'avant pendant le swing, gardez bien le poids sur les talons.

En résumé

1. Placez le club pour déterminer le plan de swing et la posture.
2. Rapprochez-vous de la balle.
3. Jouez la balle plus en avant du stance par rapport à une position avec les pieds à plat.
4. Ecartez davantage les pieds, avec les pointes de pieds vers l'intérieur, et fléchissez bien les genoux.
5. Faites trois quarts de swing en veillant à garder l'équilibre pendant tout le mouvement.

Une balle en dessous des pieds aura tendance à partir à droite.

En montée
et en descente

Pour placer le corps selon la pente, imaginez que vous essayez de poser une table dans cette pente. Pour que le plateau soit à plat, il faut raccourcir les pieds les plus hauts dans la pente. Quand votre balle est dans une pente, vous allez faire de même avec les jambes "les plus hautes" pour pouvoir tourner les hanches à l'horizontale.

Pour les balles en descente, reculez le pied droit et augmentez la flexion du genou droit. Faites le contraire pour une balle en montée. Dès lors que les épaules imposent à la fois le chemin et l'inclinaison du swing, il faut ensuite les disposer selon un angle qui va épouser la pente, permettant au swing d'en suivre le contour.

Ouvrir ou fermer plus ou moins le stance dépend de la sévérité de la pente. Que ce soit en montée ou en descente, vous devez ajuster votre stance jusqu'à avoir les hanches au même niveau. Dans tous les cas, la balle doit être au milieu des pieds.

Dans les pentes *suite*

1

Balle en montée

En montée, la balle est plus haute que le pied droit, mais plus basse que le pied gauche. La pente agit comme une rampe de lancement, ajoutant de la hauteur supplémentaire à votre coup, et la balle aura tendance à partir vers la gauche. En posant le club au sol, le degré d'ouverture théorique est augmenté par la pente. Pour toutes ces raisons, il est préférable de prendre un club moins ouvert, afin de compenser cet effet.

En montée, le pied gauche est en arrière de la ligne de jeu, ce qui "raccourcit" la jambe gauche et rectifie le niveau des hanches. En mettant le pied gauche en arrière, le poids est confortablement placé et bien accroché dans la pente, garantissant l'équilibre. Ouvrez un peu la pointe du pied gauche pour faciliter la traversée. Et puisqu'il faut swinguer le long de la pente, et non contre elle, inclinez les épaules parallèlement à la pente, l'épaule gauche plus haute que la droite.

Dans une pente très prononcée, il est essentiel d'avoir les hanches au même niveau, mais cela modifie le point bas de votre swing. Le fait d'ouvrir le stance déplace effectivement la balle plus à droite, mais en inclinant les épaules pour épouser la pente, le bas de l'arc de swing se déplace vers l'avant. Ces deux ajustements s'accordent parfaitement avec la balle au milieu des pieds. En montée, le swing sera dominé par le haut du corps, il est donc important de permettre au mouvement des bras de suivre la pente, vous allez donc finir haut et derrière l'oreille gauche. À ce moment, l'élan des bras risque de vous entraîner vers le bas de la pente, peu importe.

En résumé
Balle en montée

1. Ouvrez le stance pour que les hanches se retrouvent à l'horizontale.

2 . Ouvrez la pointe du pied gauche.

3. Inclinez les épaules dans le sens de la pente, la gauche plus haute que la droite.

4. Placez la balle au milieu du stance.

5. Faites trois quarts de swing en gardant simplement votre équilibre pendant le swing.

En reculant le pied gauche par rapport à la ligne de jeu, les hanches sont presque au même niveau, ce qui vous aide à garder l'équilibre. Remarquez ici que, au contraire des pieds, le joueur n'a pas ouvert les épaules, elles sont parallèles à l'objectif et inclinées tout comme la pente.

Dans les pentes *suite*

En descente

La technique pour jouer une balle en descente est rigoureusement inverse de celle pour jouer une balle en montée. En descente, la balle est plus bas que le pied droit mais plus haute que le pied gauche, ce qui ne facilite guère un transfert du poids à droite au backswing. Il est également difficile de rester derrière la balle à la descente alors que la pente vous entraîne vers l'objectif.

Pour compenser ces effets, prenez un club plus ouvert (fer six au lieu de fer cinq par exemple) et baissez un peu les mains sur le grip pour réduire la longueur du coup. Alignez-vous à gauche de l'objectif et reculez le pied droit jusqu'à ce que les hanches soient horizontales, ce qui vous permettra de conserver votre équilibre, mais aussi de garder les épaules parallèles à la ligne de jeu.

Inclinez les épaules pour qu'elles épousent le profil de la pente et placez la balle au milieu du stance pour qu'elle corresponde au point bas de l'arc de swing. Pour éviter de glisser vers la pente, tournez la pointe du pied gauche vers l'intérieur.

Le poids fermement placé sur le côté gauche, tournez bien le haut du corps en utilisant la hanche gauche comme axe de swing pendant tout le mouvement. L'erreur la plus grave consiste à essayer de lever la balle, et par conséquent de la topper, faites au contraire attention à swinguer en laissant la tête de club suivre la pente.

Dans une forte pente, vous verrez souvent les professionnels terminer leur mouvement comme s'ils allaient ensuite descendre la pente en marchant. En fait, ils la suivent tellement bien qu'ils ne peuvent faire autrement. Ils n'ont pas perdu l'équilibre, ils l'ont maintenu en continuant leur mouvement naturel vers la descente.

En descente, attendez-vous à faire une balle basse et qui roule beaucoup.

En résumé

1. Prenez un club plus ouvert et abaissez les mains sur le grip.
2. Placez la balle au milieu des pieds.
3. Inclinez les épaules dans le sens de la pente, l'épaule gauche plus basse que la droite.
4. Fermez le stance avec les hanches horizontales.
5. Faites trois quarts de swing en essayant de garder au maximum votre équilibre pendant le swing.

1

2

3

4

Chapitre sept

Travail de balle

À la réflexion, la plupart des coups de golf ne sont pas dans la norme. On ne tape guère plus de cinq ou six coups "normaux" sur 18 trous, et le reste, selon votre talent individuel, relève largement de l'improvisation, certains coups étant très hauts pour franchir un obstacle, d'autres avec un effet latéral pour le contourner, et d'autres qui rebondiront sur le sol sans souci de l'esthétique du coup.

Le parcours de golf est un endroit spécialement conçu pour nous écarter de la routine. Avec les monticules, les bunkers, le vent et le temps qu'il fait, le golf demande de constants ajustements des effets et de la trajectoire des coups. Si vous les faites sur commande et au bon moment, vous entrez dans l'art du golf, et c'est un plaisir énorme de savoir le maîtriser.

Pour le draw, l'avant-bras droit et la main droite de Ben Crenshaw ont tourné sur la main gauche. Les articulations de la main droite sont face au ciel, ce qui témoigne d'un relâchement complet à l'impact, la pointe de la tête tournant au-dessus du talon. Le club s'est totalement éloigné de la ligne de jeu, la tête de club pointe très à gauche de l'objectif.

Pour être complet, vous devrez apprendre à contrôler la trajectoire de la balle, savoir la faire tourner de gauche à droite (fade) et de droite à gauche (draw). C'est ce que l'on appelle travailler la balle. Même si vous n'en êtes pas à ce niveau, comprendre ce qui fait tourner, partir bas ou très haut votre balle fera de vous un meilleur joueur, vous aidera à comprendre ce qui se passe dans le swing quand la balle vole de telle ou telle manière.

Pourquoi travailler la balle ?

Dans le jeu en général et dans les tournois en particulier, les emplacements de drapeaux sont modifiés chaque jour sur chaque trou afin de ne pas favoriser une seule trajectoire de balle. Certains drapeaux sont placés en avant du green, certains au milieu et d'autres au fond, et certains à droite ou à gauche, près du bord. À partir du départ, il y a des trous rectilignes, d'autres qui tournent à gauche, ou encore à droite.

Si vous ne savez pas faire tourner la balle, un certain nombre de drapeaux ne seront pas à votre portée, et certains doglegs seront vraiment contre vous. Si vous tapez vos balles de droite à gauche, il vous sera difficile d'attaquer un drapeau à droite du green si vous êtes obligé de franchir de nombreux obstacles pour arriver près du trou. Et si vous savez uniquement taper vos balles de gauche à droite, les drapeaux à gauche ne sont pas pour vous. Mais en apprenant à faire des effets dans les deux sens et à contrôler vos trajectoires, vous pourrez attaquer tous les drapeaux.

La stratégie des pleins coups

Avec un plein swing, travailler la balle peut s'avérer utile afin d'attaquer des drapeaux placés derrière des bunkers ou des obstacles d'eau. Plutôt que de jouer directement une cible à droite par exemple, en courant le risque de plonger dans les problèmes, vous pourrez viser le centre du green en donnant un effet à votre balle.

Si la forme de votre coup est celle que vous avez planifiée, votre balle sera au drapeau. Si vous tapez droit, votre balle sera milieu du green et si vous tirez à gauche, le pire qui puisse vous arriver est d'avoir un long putt.

Si le drapeau est au fond du green, visez toujours le milieu du green et faites une balle basse pour qu'elle roule en atterrissant. Si le drapeau est au début du green, visez toujours le milieu avec une balle haute : soit elle aura un effet rétro et reviendra au drapeau, soit il ne vous restera qu'un putt sans difficulté.

Pour un fade, Ernie Els contrôle le club par la main gauche, sans rotation des bras à l'impact.

Trois *drivers ?*

Comme la plupart des golfeurs, vous ne savez pas très bien faire tourner une balle. Mais rappelez-vous un conseil pour vous aider à négocier les doglegs, et qui ne vous demande pas de modifier votre swing. Prenez trois drivers. Toutes choses égales par ailleurs, plus la face du driver est ouverte, plus elle imprimera à la balle un effet de gauche à droite, plus elle est fermée, plus vous ferez du hook. Prenez votre driver normal pour les trous rectilignes, prenez un driver fermé de quatre degrés de plus pour les doglegs à gauche, et un driver ouvert de quatre degrés de plus pour les doglegs à droite. Demandez à un spécialiste pour avoir les spécifications correctes mais souvenez-vous que vous avez droit à 14 clubs au maximum dans le sac.

Plus important encore, avant d'aller sur le parcours, allez au practice avec deux idées en tête. La première est d'imaginer comment va tourner la balle avant de la taper, la seconde est de faire un swing normal en laissant faire la tête de club au lieu de "bricoler".

Imaginez
votre coup

L'image mentale d'un coup de golf est aussi importante que la technique du travail de balle. Les images imprègnent le comportement : plus elles sont précises et complètes, meilleure sera l'imprégnation. Les grands joueurs utilisent la visualisation pour chaque coup. Chi-Chi Rodriguez, grand spécialiste des coups spéciaux, explique qu'il "fait le portrait" de chaque coup avant de le jouer. Quand on demandait à Sam Snead comment il faisait tourner une balle, il répondait : "Je pense simplement à le faire." Jack Nicklaus déclare qu'il se "fait du cinéma" avant chaque coup, et qu'il voit exactement le coup avant de taper. Seve Ballesteros et Greg Norman également.

Ainsi, au lieu d'être engoncés dans un excès d'idées techniques, les grands joueurs donnent à leurs muscles les bonnes idées. Et c'est encore plus important pour travailler la balle, ce qui est la partie la plus créative du jeu.

Pourquoi le finish est très important

Tout comme il est essentiel d'imaginer votre swing comme un ensemble (regardez-le, sentez-le, écoutez-le), vous devez accorder une particulière attention à la traversée et au finish. Bien que l'on n'essaie pas consciemment de faire tourner une balle, il est très important d'avoir une conception très claire de votre position finale avant de faire le swing (voir page 101). Après un draw, le club doit pointer au finish vers la gauche de l'objectif, alors que pour un fade, il pointera à droite. Pour une balle haute, finissez haut, et pour une balle basse, finissez bas.

Le concept

Règle numéro 1 : on parvient à travailler la balle par la position à l'adresse et le finish, surtout pas en bricolant son mouvement. Ayez d'abord une image précise, faites le swing d'essai comme si c'était votre vrai swing, en vous appliquant sur la traversée et le finish.

Comme nous l'avons vu, ce que l'on pense du swing influence ce que l'on fait vraiment. Si vous voulez jouer en fade, placez-vous pour un fade et programmez-vous pour que le swing se termine de manière adaptée au fade. Alors, libéré de toutes manipulations techniques, laissez votre swing évoluer dans la géométrie établie à l'adresse entre le corps, le club, la balle et la cible, et contentez-vous de swinguer jusqu'à ce finish approprié. C'est valable pour tous les autres coups spéciaux, y compris le draw, les balles hautes ou basses.
Voici les trois lignes à utiliser à l'adresse.

Travailler la balle demande d'effectuer des changements par rapport au schéma géométrique "square".

- **La ligne de jeu**, reliant la balle à l'objectif.
- **L'alignement des épaules.**
- **La ligne de jeu désirée**, c'est-à-dire une trajectoire courbe comprenant en particulier la ligne sur laquelle partira la balle.

Ajustez la position de la balle pour la forme du coup choisi (voir page 109) et orientez la face de club vers la cible en respectant la ligne de jeu. Sans modifier cette orientation, alignez les épaules par rapport à la forme du coup. Ouvrez les épaules pour les trajectoires hautes et en fade, fermez-les pour les trajectoires basses et en draw. Vérifiez la pression du grip et swinguez selon la ligne des épaules de façon à ce que le finish épouse la forme adéquate.

Le fade (de gauche à droite)

Pour faire un fade, ouvrez le corps (orienté à gauche de l'objectif) avec la face de club dirigée vers la cible. Comme les épaules sont parallèles à la ligne de jeu pour les coups normaux, elles sont à présent ouvertes. Et comme le swing s'effectue dans le sens des épaules, la balle partira d'abord vers la gauche de la cible.

Peu après, elle va tourner vers la droite et revenir vers l'objectif, à cause de l'ouverture de la tête de club à l'impact, qui "coupe" en quelque sorte la balle en lui donnant l'effet nécessaire pour tourner. Souvenez-vous que, même si la face de club est square à l'adresse, elle reste ouverte par rapport à la ligne de jeu désirée à l'impact. Le finish montre les effets de la passivité des mains et d'une bonne rotation dans la balle à l'impact, avec le manche de club orienté vers le ciel, voire même incliné vers l'objectif, pour que la balle tourne au maximum.

Le draw (de droite à gauche)

Pour un draw, faites le contraire du fade. Alignez la face de club selon la ligne de jeu, avec les épaules orientées à droite de l'objectif en position fermée, parallèlement à "votre" ligne de jeu effective.

À partir de cette position, si vous faites un swing normal dans l'alignement des épaules, la face de club sera légèrement fermée à l'impact, d'où un léger draw qui fera partir la balle à droite, avant de revenir vers droite, avant de revenir vers l'objectif. Votre finish doit montrer une tête de club bien relâchée, dirgée à gauche de l'objectif.

Si vous devez faire des effets vraiment prononcés (slice et hook), ne faites que deux petits réglages supplémentaires. Pour un hook, alignez la face de club à gauche de la cible et fermez davantage les épaules. Pour un slice, alignez la face de club vers la droite de la cible et ouvrez davantage les épaules. Ainsi, vous allez notablement augmenter l'effet latéral donné à la balle.

Balles hautes

Vous aurez parfois besoin de taper la balle plus haut que d'habitude. Ce peut être pour arrêter rapidement la balle sur un green assez dur, ou pour tirer avantage d'un vent favorable en tapant un drive très long. Plus généralement, il faut savoir jouer ces coups afin de franchir les arbres ou autres obstacles dangereux.

Tout comme le fade et le draw, une éxécution correcte implique deux éléments : la visualisation du coup et la technique utilisée pour vous placer et finir comme il convient.

Visualisation

Pour une balle haute, imaginez que votre balle passe au-dessus d'un arbre et atterrit sur le fairway. Sentez bien la plénitude du mouvement en faisant votre coup d'essai. Maintenez un peu plus longtemps le finish pour bien sentir les mains hautes.

Finir haut pour aller haut

Le secret de ce coup, c'est un swing tranquille qui s'achève complètement, les mains bien au-dessus des épaules. N'essayez pas de faire un swing plus grand, vous pourriez modifier votre bon timing.

Placez la balle un peu plus loin en avant du stance et inclinez le buste vers le pied arrière, comme si votre oreille droite était au-dessus du genou. Avec un petit fer, assurez-vous de bien vous orienter sur la cible car il est difficile de faire un fade avec un petit fer. Avec un club plus long, alignez-vous un peu à gauche de l'objectif pour favoriser une balle en fade. C'est un coup dangereux parce que la balle est très en avant, et on peut facilement être tenté de ramener le corps vers l'objectif, c'est pourquoi il faut garder la colonne vertébrale bien stable et tourner les épaules autour d'elle.

L'autre danger avec les balles hautes, c'est de vouloir lever plus encore la balle en faisant agir les bras et les mains. Malheureusement, sans transfert de poids, le club touchera le sol avant la balle et vous resterez court de la cible. Alors, tournez bien le buste sans vous redresser, et laissez l'ouverture du club lever la balle.

Balles basses

Le vent, ou des branches près du sol, peuvent vous obliger à faire des balles basses, en faisant une sorte de "knock-down". Ce coup permet de couvrir tranquillement la distance, dans la mesure où si une trajectoire basse fait normalement rouler longtemps la balle, le knock-down permet de l'arrêter rapidement et en douceur, sur un green par exemple.

Placez la balle deux à trois centimètres en arrière de sa position normale et abaissez les mains sur le grip. En plaçant la balle vers l'arrière, la face de club et les épaules vont s'aligner automatiquement vers la droite, il faut donc ramener les épaules parallèles à la ligne de jeu. Votre poids va aussi être transféré sur la gauche, il vous sera alors plus facile de faire un backswing moins ample, et mieux contrôlé.

Le swing sera réduit aux trois quarts, le poids restant sur le côté gauche pendant tout le swing. Cependant, assurez-vous de tourner l'épaule gauche derrière la balle, ou vous risquez de revenir de manière trop verticale, et de faire une balle plus haute que prévu.

Visualisation

Pour faire une balle basse contrôlée, faites les modifications inverses du fade. Imaginez une trajectoire basse pendant votre swing d'essai, tranquille et bien rythmé. Évitez de penser à "puncher" la balle. Prenez deux clubs de plus que normalement et abaissez les mains sur le grip de cinq centimètres environ.

Finir bas pour aller bas

Le secret des balles basses réside dans le rythme et dans la traversée. Beaucoup de joueurs tapent trop fort, ce qui fait au contraire lever la balle. Swinguez en souplesse et finissez avec les mains, les coudes et la tête de club plus bas que les épaules.

La pression des mains sur le grip

La pression des mains sur le club dépend du coup que vous devez jouer. Comme les mains contrôlent la face de club, l'intensité de la pression et l'endroit où elle s'exerce sur le grip vont déterminer quelle main va dominer à tel ou tel moment du swing. Savoir modifier la pression des mains en fonction du coup à jouer fera de vous un virtuose du travail de la balle.

- **Pour un slice :** serrez les deux mains, mais davantage encore la main gauche que la droite, afin de pouvoir "tirer" le club vers la cible. En tirant vers la cible avec la main gauche, vous gardez la face de club ouverte à l'impact, et la balle ira de gauche à droite.

Si on imagine une échelle de 1 à 10, et que votre pression normale est de 3, elle sera pour un fade de 4 pour la main droite et de 6 pour la main gauche. Une plus grande fermeté des mains évite de jouer des poignets, et plus le swing est contrôlé sans action des poignets, plus vous avez de chance de faire du fade.

- **Pour un draw :** ramenez la pression de la main droite à 2 et celle de la main gauche à 1. Vous allez ainsi activer les poignets, ce qui leur permettra de travailler la balle en refermant la face de club à l'impact, ce qui provoquera automatiquement un draw.
- **Balle haute :** réduisez la pression des deux mains et essayez de sentir les poignets "huilés"...
- **Balle basse :** en particulier si la position de la balle n'est pas excellente, augmentez la pression des mains pour que le club ne tourne pas à l'impact.

POSITION	FADE	DRAW
POSITION DE LA BALLE	Driver: face pointe pied gauche	Driver : une balle avant le talon gauche
	Fers : face au talon gauche	Fers : deux balles avant le talon gauche
POSITION DES PIEDS	Ouvert : pied gauche reculé de 5 cm pointe ouverte de 45°	Fermé : pied droit reculé de 5 cm pointe du pied fermée de 20°
POSITION ÉPAULES	Alignées avec les pieds	Alignées avec les pieds
FACE DE CLUB	Vers l'objectif	Vers l'objectif
PRESSION DES MAINS	Main gauche ferme, poignets souples	Main droite ferme poignets souples
SWING	Selon l'alignement des épaules	Selon l'alignement des épaules
FINISH	Manche de club incliné vers la cible	Club incliné à gauche de la cible
MODÈLES	Lee Trevino, Bruce Lietzke	Fuzzy Zoeller, Gary Player

POSITION	BALLES HAUTES	BALLES BASSES
POSITION DE LA BALLE	Plus en avant d'une balle	Plus en arrière d'une balle
POSITION DES PIEDS	Ouverts	Fermés
POSITION ÉPAULES	Ouvertes	Fermées
PRESSION DES MAINS	Légère, poignets souples	Ferme, poignets solides
FINISH	Coudes et club hauts, manche derrière le corps	Coudes et club bas, manche devant le corps
VISUALISATION	Jouer vers les nuages	Jouer sous des branches basses.

Balles qui roulent

Quand la surface du green est dure et sèche, plutôt qu'une balle haute, jouez une balle roulante si vous n'avez aucun obstacle à franchir.

À droite : la position parfaite pour une balle roulante.

Comme de telles balles vont rouler longtemps au sol, il vaut mieux les réserver aux parcours fermes avec des roughs très légers, afin qu'elles ne s'arrêtent pas en route. Entraînez-vous au practice pour acquérir des sensations au niveau du roulement, et sur votre propre parcours où vous avez une bonne habitude des conditions de jeu.

Quand il n'y a pas d'obstacle tel qu'un bunker ou de l'eau qui vous sépare du green, il peut être sage de jouer une longue balle roulante. On a souvent dit que les joueurs européens en avaient beaucoup plus la maîtrise que les joueurs américains, c'est assez vrai, à l'exception notable de Lee Trevino et Tom Watson. Ce genre de balle peut être joué de toutes les distances et il s'avère fort utile quand le vent souffle.

Vous pouvez *a priori* considérer que la balle va voler environ la moitié de la distance et rouler autant au sol. On donne peu de puissance sur ce coup, et la vitesse de club prend uniquement sa source dans la rotation du corps et le mouvement très relâché des bras.

Pour acquérir de bonnes sensations, prenez un fer moyen, placez la balle au milieu du stance et sélectionnez le point où votre balle doit atterrir. Imaginez qu'elle roule ensuite jusqu'au drapeau et faites un swing d'essai avec la demi-montée tranquille que vous ferez en réalité. La fin du backswing se situe en effet lorsque le bras gauche est parallèle au sol, et le finish quand le bras droit se retrouve parallèle au sol. Entre les deux, vous vous contenterez de tourner vers l'arrière puis vers l'avant sans "frapper sur la balle" au passage.

Vous remarquerez que l'avant-bras droit a tourné au-dessus du gauche, révélant un relâchement complet de la tête de club à l'impact. Cette action provoque une rotation de la pointe de club en sens inverse des aiguilles d'une montre, avec un effet de droite à gauche. Comme vous n'avez pas donné de puissance dans la balle, elle va rester basse, et comme les poignets se sont légèrement armés, la balle aura assez de backspin pour s'élever suffisamment.

Attention

Il est utile de savoir faire une balle qui roule beaucoup, mais avant d'essayer, soyez sûr que la zone d'arrivée de balle n'est pas humide ni sablonneuse. Vous devez aussi connaître la consistance et la direction de l'herbe sur l'avant-green. Si elle pousse contre vous, ou si elle est épaisse, ne prenez pas de risque et jouez plutôt une balle haute.

Bump and run (approche roulée)

Quand le green est surélevé, ou qu'il y a peu de place entre le bord du green et le drapeau, plutôt que de jouer une balle haute, vous avez davantage intérêt à faire une approche roulée pour attaquer le drapeau.

Placez la balle vers le pied arrière pour l'approche roulée.

La technique

Placez la balle un peu en arrière du milieu des pieds et prenez un fer sept, en plaçant les mains en avant de la balle pour que l'extrémité du grip soit face à l'intérieur de la cuisse gauche. Gardez le poids du corps sur le pied gauche et réduisez au maximum l'action des poignets, en effectuant un swing de bras et d'épaules. Votre but est d'envoyer la balle contre la pente avec une trajectoire basse, pour qu'elle rebondisse une ou plusieurs fois tout en étant assez ralentie par l'herbe pour finir sa course en roulant sur le green.

C'est un coup délicat à évaluer mais quand il faut "poser la balle" dans une telle situation, c'est le meilleur choix.

Pour faire un coup très précis, gardez les poignets fermes.

1

2

3

4

5

6

Le coup lobbé

"Pour approcher, puttez, si vous ne pouvez pas putter, faites un chip, si vous ne pouvez pas chipper, faites un pitch, et si vous ne pouvez rien faire d'autre, la dernière option à envisager est la balle lobbée." C'est le coup le plus difficile à évaluer, mais vous serez parfois obligé de faire ce type de balle très haute pour rejoindre l'objectif.

Vous pourrez utiliser cette technique de pitching autour du green quand la balle doit franchir un obstacle (obstacle d'eau, bunker, rough épais par exemple), atterrir doucement et peu rouler sur le green. Le lob demande un mouvement complet du corps comme dans un plein swing, mais sans jamais donner de puissance.

Suivre la ligne *des épaules*

Les choses restent souvent confuses quand on parle de swinguer dans le sens des épaules avec un stance ouvert. Au moment où les épaules tournent, le club swingue à l'unisson, selon la ligne formée par les épaules. Parce qu'ils le comprennent mal, les joueurs essaient souvent de monter le club à l'extérieur sans tourner les épaules, ce qui les oblige à retomber sur la balle en la coupant. À moins qu'ils ne tirent le club vers l'intérieur et reviennent exagérément de l'extérieur. Dans les deux cas, la socket est probable.

Le coup lobbé *suite*

En boucle

1 Pour faire un lob en douceur, la puissance du coup doit exclusivement provenir de la longueur de l'arc de swing. La tête de club évolue à l'extérieur de la ligne de jeu au backswing, puis elle revient de l'intérieur par une sorte de boucle. En montant le club dans le sens de l'alignement des pieds, en utilisant principalement les bras, la tête de club part à l'extérieur de la ligne de jeu uniquement parce que tout le corps est ouvert à gauche.

2 En approchant du sommet du backswing, le mouvement des bras va tirer l'épaule gauche vers la balle, ce qui ramène la tête de club vers le corps de manière à arriver sur la balle selon l'alignement des épaules.

1

2

La technique du lob

Un bon lob est "sirupeux" et vous devez le penser techniquement comme "un mouvement complet demandant un minimum de puissance". Le secret consiste à faire un swing soyeux et fluide, où c'est la rotation du corps qui anime la tête de club et non les mains et les bras.

Tandis que le corps gouverne pendant tout le swing, la tête de club reste "piégée" derrière soi et arrive ouverte à l'impact, utilisant tout le rebond de la semelle du sand wedge. La tête de club ne peut que glisser tranquillement sous la balle tandis que l'on swingue jusqu'au finish complet.

Prenez un sand wedge ou (de préférence) un lob wedge. Alignez la face légèrement à droite de l'objectif pour faire monter haut la balle tout en l'arrêtant rapidement. Placez les mains en regard de la balle située face au talon gauche, et gardez 80 pour cent du poids sur le pied gauche. Une fois le club placé, alignez le corps légèrement à gauche pour imprimer un peu d'effet gauche-droite à la balle. Plus vous voulez faire monter la balle et lui donner de l'effet, plus vous allez ouvrir le stance et jouer de manière agressive.

Souvenez-vous bien que ce coup demande un geste long et nonchalant. Inutile d'essayer d'armer les poignets, détendez-les et le poids de la tête de club les armera naturellement.

Pendant le backswing, gardez le poids sur la hanche gauche pendant que le haut du corps tourne le dos à l'objectif. À la descente, la rotation du corps et le retour de la tête de club sont conduits par le genou droit.

L'épaule gauche revient d'une certaine manière vers la balle : en fait, la poitrine tourne et les épaules sont fermées par rapport à la cible. Pour swinguer correctement le club dans le sens des épaules, le club doit suivre les épaules alors qu'elles tournent au backswing.

C'est pourquoi la position de départ est importante. Les épaules doivent être ouvertes, orientées à gauche de l'objectif avec la face de club dirigée vers la cible. Ainsi, la balle partira d'abord vers la gauche puis reviendra en douceur avec un effet à droite.

"De long en long"

Ce swing avec les bras hauts doit se terminer par un finish haut, ce qui traduit le fait que l'on réalise un grand swing de part et d'autre du corps. L'erreur la plus fréquente consiste à faire un long backswing avec une traversée courte, en décélération. Avec ce genre d'action "longue et courte", la balle va finir dans l'obstacle, à moins de traverser le green à toute vitesse.

Parce que la distance est courte, le cerveau hésite à ordonner de faire un long swing, c'est pourquoi beaucoup de joueurs font de petits swings précipités et manquent leur objectif. Avec ce type de coup, il faut penser à contrôler la distance par la vitesse de rotation du corps, en tournant l'ensemble du corps de la même façon "facile". Pour que votre esprit s'y habitue, n'hésitez pas à taper des centaines de grands lobs au practice. Une fois ce coup dans votre panoplie, n'oubliez pas non plus d'en taper quelques-uns avant chaque parcours.

Chapitre huit

Le pitching

Payne Stewart nous montre ici un mouvement de pitching très compact avec les mains passives : c'est la bonne recette pour faire de beaux et bons pitchs.

La différence entre un chip et un pitch est que celui-ci vole plus qu'il ne roule. Alors que l'on joue un chip comme un putt, sans action du bas du corps, le pitch normal requiert un swing assez proche du swing normal. Les clefs de la réussite sont simples.

1 Placez-vous correctement.

2 Réglez votre position selon la forme et la longueur que vous voulez donner à votre swing.

3 Faites une rotation tranquille, pour jouer dans le sens des épaules.

Les commandements du pitching

Le premier commandement

La face de club pointe vers la cible.

À l'adresse, la face de club doit toujours être alignée sur l'objectif. Notez bien qu'il y a une différence entre l'alignement du corps et l'orientation de la face de club quand on utilise les termes "fermé" et "ouvert". Quand les épaules sont définies comme "ouvertes", elles sont alignées à gauche de l'objectif, mais quand la face de club est définie comme "ouverte", elle est alignée à droite de l'objectif. En ce cas, si la face de club était alignée comme les épaules, la balle finirait à gauche.

Au pitching, il faut à certains moments soit ouvrir, soit fermer les épaules et, comme cela affecte l'alignement du club, il faut vérifier que celui-ci reste correctement orienté. Le fait d'ouvrir les épaules va vous faire diriger la face de club vers la gauche (fermée) et pour que votre pitch soit droit, il faut ramener la face de club en direction de l'objectif final. Si les épaules sont au contraire fermées, la face de club est dirigée à droite (ouverte), et vous devez la "fermer" en direction de l'objectif. C'est uniquement lorsque les épaules sont "square" qu'il n'est *a priori* pas nécessaire d'ajuster le club.

Le deuxième commandement

L'extrémité du grip pointe vers le centre du corps.

À l'adresse, la partie supérieure du grip doit être dirigée vers le centre du corps. Avec le mouvement de lancer "par en dessous" du pitch, la seule manière de contacter la balle au centre de la face de club est de placer les mains au milieu du corps pour que la face de club arrive avant son point d'attache avec le manche. Avec le grip dans cette position, la zone de frappe est effectivement plus large.

Malheureusement, de nombreux joueurs placent les mains très en avant de la balle à l'adresse : ils referment ainsi la face de club et font des trajectoires plus basses. Mettre les mains trop en avant peut causer aussi d'autres problèmes. La face de club reposant sur son arête frontale, il devient impossible d'utiliser le rebond du sand wedge pour le faire glisser sous la balle.

Vous courez aussi le risque de frapper avec le manche de club parce qu'il est placé plus en avant de la tête, ce qui favorise la redoutable "socket"...

À l'adresse, l'extrémité du club est dirigée vers le centre du corps.

Pour contrôler
la distance

La distance est déterminée par trois ajustements de la position devant la balle.

1. La longueur effective du club suivant que vous avez les mains plus ou moins haut sur le grip.

2. L'écartement des pieds.

3. L'ouverture du stance.

La façon de disposer le corps à l'adresse va déterminer jusqu'à quel point vous pouvez confortablement swinguer le club en arrière puis en avant de manière équilibrée, ce qui donnera plus ou moins de distance.

Les commandements du pitching *suite*

1

2

Le troisième commandement

Un swing de même ampleur de part et d'autre du corps.

L'ampleur de votre montée va déterminer l'ampleur de votre traversée. La longueur de l'une doit être l'exact reflet de l'autre. Maintenir la même longueur de mouvement des deux côtés de la balle évite de trop frapper à l'impact.

La seule accélération de la tête de club intervient naturellement, à cause du bras de levier créé à la montée, de la force de gravité et de la force centrifuge. La conjugaison de ces trois facteurs offre la vitesse de club voulue. C'est pourquoi les meilleurs spécialistes de ce type de coup paraissent faire très peu d'efforts. Pourtant, le résultat est là.

On ne distingue pas du tout l'effet de levier qui ajoute la puissance au mouvement des bras pendant le swing. Chaque fois que l'on essaie d'ajouter ou de soustraire de la vitesse pendant le swing, on rompt l'équilibre, il devient alors difficile de ramener la face de club square à l'impact.

Le quatrième commandement

Swinguez dans le sens des épaules.

Votre club doit toujours suivre le chemin défini par les épaules. Le corps est construit de manière que les bras suivent la route empruntée par les épaules, sauf si on les en empêche. À partir du moment où les mains tiennent le club et sont fixées aux bras, la chaîne du mouvement contrôlant la tête de club est dominée par les épaules.

Si les épaules swinguent vers la gauche de la cible, le club suivra. Si les épaules sont parallèles à la ligne de jeu, le club va évoluer dans le même sens. Et si elles sont fermées, le chemin de club sera dirigé vers la droite. Sur un coup de pitch normal, avec la balle au milieu du stance, les épaules doivent être parallèles à la ligne de jeu, quelle que soit la longueur du coup à jouer. Quand la balle est placée en avant pour faire une balle haute, l'ouverture des épaules favorise un chemin de club extérieur-intérieur. Quand la balle est en arrière pour rester basse, la fermeture des épaules donne un chemin intérieur-extérieur.

Un mouvement de lancer "par-dessous"

Quand on lance une balle à courte distance, le stance est étroit, les hanches font face à l'objectif. Le mouvement de lancer est dominé par le haut du corps avec un balancier des bras pour créer de la distance. Si vous voulez lancer plus loin, le corps va changer automatiquement de position pour s'accommoder du changement de longueur et de vélocité des bras. C'est la même chose pour un coup de pitch.

Stance étroit, tout ouvert et grip court

Plus le coup à jouer est court, plus les pieds sont rapprochés. Plus vous rapprochez les pieds, plus le swing devient étriqué et exercé par le haut du corps, ce qui raccourcit la distance de vol. Pour réduire la longueur de la montée, il faut aussi ouvrir le stance.

En supplément de ce stance étroit, on va réduire la distance par le simple fait de descendre les mains sur le grip.

En résumé

Pour être un bon joueur de pitch, il ne faut pas frapper consciemment la balle. On fait un pitch avec un swing tranquille, dont la force naît de l'accélération constante de la tête de club à cause de la longueur et du levier du backswing. La meilleure façon de contrôler la longueur du backswing est d'opérer les réglages suivants : modifier la longueur du club en abaissant les mains sur le grip, ouvrir et réduire le stance.

Ainsi, à partir du moment où vous ne faites pas d'over-swing, le fait de rapprocher les pieds et de les ouvrir donnera un coup très court. En élargissant le stance et en réduisant l'ouverture, on augmente la longueur du backswing, et donc celle du coup.

Le contrôle des trajectoires

Les trajectoires sont contrôlées par trois facteurs :

1 La force d'arrivée sur la balle

2 La position de la balle

3 La position de la face de club à l'adresse

La force de frappe dans la balle est déterminée par la longueur du swing, sans que l'on essaie de produire de la distance en manipulant les mains et les bras. Plus le swing est long, plus la tête de club va jouer vite au moment de l'impact, augmentant la hauteur du coup.

Plus la balle se rapproche du pied avant (le gauche pour les droitiers), plus la balle va voler haut et atterrir en douceur. Plus vous la placez vers l'arrière, plus la balle volera bas et roulera. Ainsi, pour faire une balle haute, vous devez la placer en avant du stance ; pour une balle normale, au milieu des pieds ; et vers l'arrière pour faire des balles basses.

Ouvrir la face de club augmente son ouverture et le rebond de la semelle, produisant des trajectoires hautes. Fermer la face de club produit l'effet inverse.

Choisir la bonne trajectoire

Pour déterminer la trajectoire désirée, étudiez la relation entre la distance de fairway et/ou de rough que vous devez passer au vol et la distance du drapeau jusqu'au bord du green. Si la première distance est moins grande que la distance sur le green, vous pouvez jouer une balle basse et roulante.

Si la distance en l'air est plus importante que la distance disponible sur le green, alors votre trajectoire devra être plus haute. Et si les deux distances sont sensiblement égales, la trajectoire sera normale.

Choisissez toujours le coup le moins haut possible, car il est beaucoup plus facile de juger du roulement d'une balle que de son vol.

1 Pour une trajectoire haute, la balle est en avant du stance et la face de club ouverte.

2 Pour une trajectoire basse, la balle est en arrière du stance et la face de club fermée.

Trajectoires

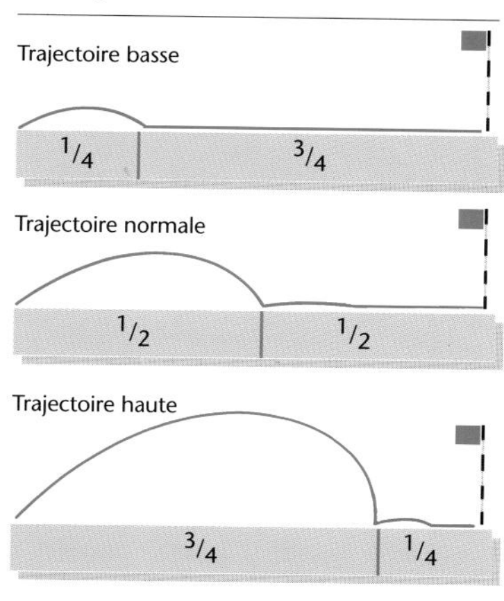

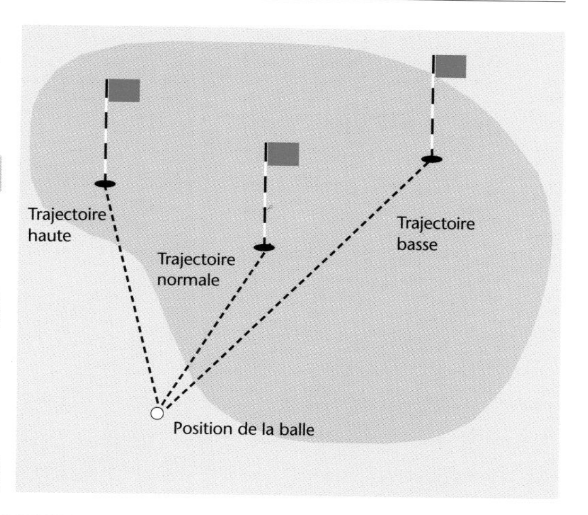

	Trajectoire normale Balle au milieu	**Trajectoire haute** Balle en avant	**Trajectoire basse** Balle en arrière
Courtes distances ■ Stance étroit ■ Pied gauche ouvert, pointe au niveau du talon droit	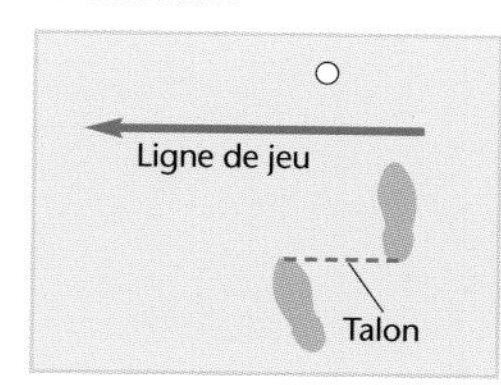	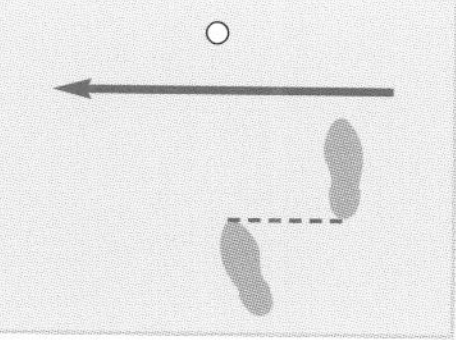	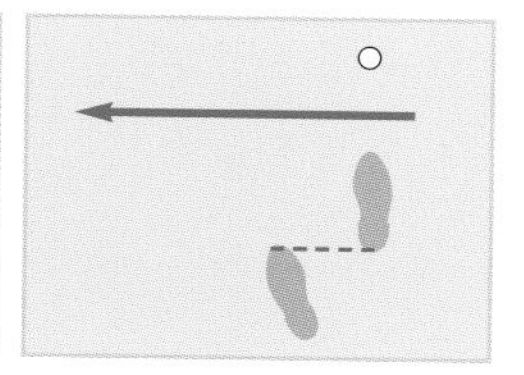
Distances moyennes ■ Stance normal ■ Pied gauche ouvert, pointe à hauteur de la plante du pied droit	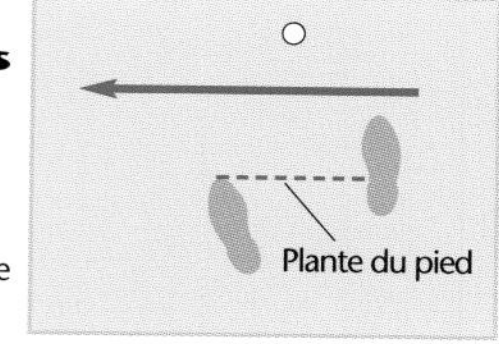	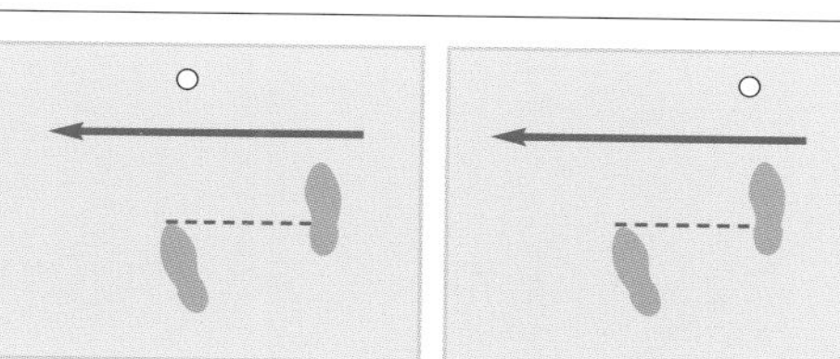	
Longues distances ■ Stance plus large ■ Légèrement ouvert	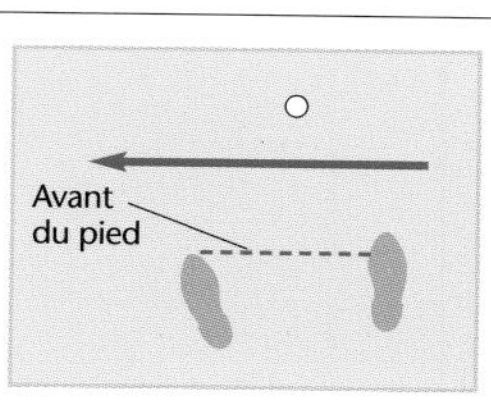	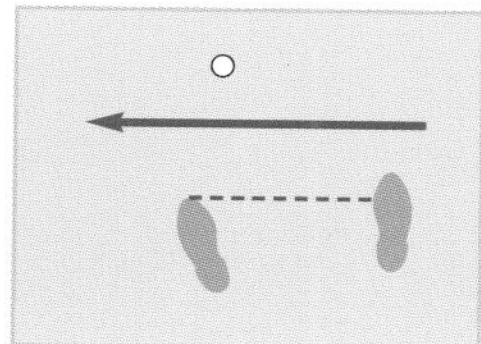	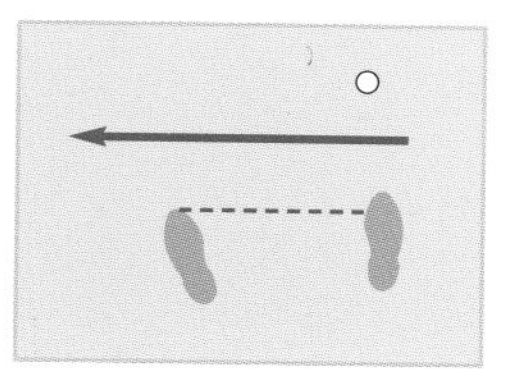

Le bras *droit*

Pour faire une balle très haute, le bras droit se plie à la montée, ouvrant ainsi la face de club. Pour une balle qui roule, le bras droit reste tendu à la montée, ce qui ferme la face de club.

Technique du pitching

Comme vous ne saurez jamais trop où termine la balle si vous manquez un green, vous avez des chances au cours de votre partie de devoir taper un ou deux coups au-dessus d'un bunker ou d'un quelconque obstacle. Les bons joueurs ratent aussi les greens, mais ils savent se rattraper avec leurs pitchs.

La pression des mains

Pour contrôler au maximum vos coups de pitchs, nous vous conseillons de prendre votre grip normal de plein swing. La paume de la main droite fera face à la direction où vous voulez envoyer votre balle, le dos de la main gauche étant dans la même direction que la face de club. Le grip de main gauche est assez ferme pour contrôler, mais assez réduit pour ne pas créer de tension dans les poignets et les avant-bras. La pression de la main droite dépendra de la longueur du coup.

Sur les petits coups, où l'on amène le club à hauteur de la hanche, prenez un grip solide des deux mains, ce qui va réduire l'action des poignets et limiter la longueur du coup, faute de bras de levier. Pour les pitchs plus longs, allégez la pression de la main droite de manière à favoriser l'action des poignets avec un swing plus long.

Le levier au pitching

Sur les pitchs courts, les mains ne montent pas plus haut que la ceinture. Sur les pitchs moyens, les mains sont à hauteur de la poitrine (le logo de la chemise). Sur un grand pitch, les mains arrivent à hauteur des épaules. Tandis que les mains et les bras restent bas, la tête de club parvient au-dessus des épaules grâce à l'armement des poignets, ce qui donne à la tête de club la hauteur suffisante, tout en conservant sous contrôle les bras et les mains.

Transfert de poids et rotation

Pour tous les pitchs où l'écartement des pieds est plus étroit que celui des hanches, le poids reste sur la hanche gauche pendant tout le swing. Mais ne vous cramponnez pas sur ce pied en montant simplement les bras comme pour couper du bois. Veillez à tourner autour de l'axe de la hanche gauche en swinguant le club.

Sur les longs pitchs, il y a pas de rotation importante. Et sur les petits, pratiquement pas, on fait presque uniquement jouer les bras avec un swing jusqu'à hauteur de la ceinture, mais quand la distance est plus grande, les épaules doivent jouer. Quand le coup devient encore plus long, les hanches, source principale de puissance, deviennent le point focal du swing et un transfert de poids s'effectue d'une hanche à l'autre, alors que les mains arrivent à hauteur des épaules.

Une fois la posture idéale installée, vous voilà prêt à monter le club. Pour devenir un joueur de pitchs régulier, évitez de trop utiliser les mains. Pour un pitch normal, les hanches et le haut du corps éloignent le club de la balle, alors que le bas du corps le ramène.

Nous parlons de transfert de poids comme si l'on devait y penser pendant le swing, alors que ce n'est pas le cas. Transférer le poids d'une hanche à l'autre est essentiellement une réponse à un swing de bras et une rotation du buste. Il est exact de dire que le poids est tiré par le mouvement d'une hanche à l'autre, mais n'essayez pas de le faire consciemment pendant le swing.

Le swing

Le triangle formé par les épaules et les bras ne se modifie pas jusqu'à hauteur de la ceinture, avec l'extrémité du grip qui reste face au nombril. Aucun armement des poignets ne se produit jusqu'à ce que le poids de la tête de club les fassent naturellement armer. Les poignets ne vont casser effectivement qu'au moment où le coude droit commence à plier.

Le bas du corps déclenche le retour de la tête de club vers la balle par une rotation de la hanche et du genou gauche vers la position qu'ils occupaient à l'adresse, ce qui évitera à la tête de club de passer devant les mains à l'impact.

L'erreur la plus fréquente sur les coups de pitch, c'est de voir les joueurs arrêter brutalement les bras à l'impact dans l'intention de "frapper" la balle. Quand cela se produit, leur poignet gauche lâche, ce qui envoie la tête de club au-delà des mains comme s'ils voulaient cueillir la balle. Il est alors impossible d'avoir un bon contact de balle. Vous pouvez éviter cette faute en faisant jouer les bras bien au-delà de l'impact. Pour ce faire, continuez à faire tourner la hanche gauche en swinguant à travers la balle.

Laissez votre déroulement décider de produire le mouvement, avec les mains finissant au même niveau qu'elles étaient au sommet de la montée. De cette manière, la longueur du swing épousera la longueur du coup à jouer. Autrement dit, petit swing pour un petit coup, grand swing pour un grand coup. Votre traversée sera ainsi le reflet exact de votre montée.

Passif,
puis actif

Les bons spécialistes des pitchs montrent peu d'action des jambes au backswing, alors que le haut du corps donne la longueur et le levier nécessaires au coup à jouer. À la traversée, il y a en revanche pas mal d'action des jambes, le genou gauche avançant de façon agressive vers l'objectif. La séquence "passif-puis-actif" est souvent inversée par les mauvais joueurs de pitchs, chez lesquels le bas du corps (hanches et jambes) est très actif à la montée mais inactif ensuite, d'où une action excessive des mains et des bras.

Chapitre neuf

Le chipping

Chez Tom Watson, la tête de club très basse et la fermeté du poignet gauche à l'impact sont les clés de son excellent chipping.

Les meilleurs joueurs du monde manquent en moyenne six greens par parcours, mais comme ils font néanmoins le par, voire mieux, il est évident que savoir jouer les coups près des greens a une importance considérable. Voici les bases de ces petits coups parfois délicats.

Commencez par vous demander si vous pouvez jouer le putter, ou, à défaut, si vous pouvez utiliser votre technique de putting avec un autre club. Bien sûr, pas question de prendre le putter quand tout est contre vous, par exemple s'il y a un obstacle ou encore trop de distance jusqu'au green. Vous devez analyser la situation et votre score dépendra de la qualité de votre décision. Cependant, si vous pouvez faire rouler la balle sans avoir à faire un trop grand backswing, prenez le putter. Deux raisons à cela. D'abord, il est plus facile de juger de la distance en faisant rouler une balle qu'en la faisant voler.

Ensuite, plus la tête de club se déplace au cours du backswing, plus la précision devient aléatoire. Et plus elle monte verticalement, plus il est difficile de la ramener à l'impact. C'est pourquoi il est déconseillé de jouer le putter sur des longs coups et le wedge sur des petits coups.

Un mouvement de putting correctement exécuté – avec n'importe quel club – permet de conserver la tête de club près du sol. Avec un mouvement très horizontal, vous augmentez vos chances d'avoir un contact parfait à l'impact. L'avantage de toucher la balle au niveau du “sweetspot” (point idéal de frappe) est qu'un bon contact réduit la torsion de la face de club, qui donne une bonne qualité de roulement.

Comme on ne peut pas toujours prendre le putter à cause de la longueur du coup et/ou du terrain, le meilleur choix est ensuite de faire un chip avec le club le moins ouvert possible qui puisse amener la balle juste sur le green, ce qui permet de raser de près le sol et de profiter d'un roulement maximum de la balle.

Du rough
dans les chips

Si vous jouez un parcours où le rough est très près des greens, vous pouvez avoir à utiliser le pitch. Le poids de la tête d'un sand wedge vous aidera à extraire la balle de cette situation et vous pourrez quand même utiliser la technique de la balle roulée.

Le concept

Le secret du chipping, c'est qu'il s'agit essentiellement d'un putt avec un club ouvert. En tant qu'extension du mouvement de putting, c'est une arme de choix quand il s'agit d'éviter de sombrer au score parce que vous manquez des greens. Un chip joué correctement offre une occasion de rentrer directement la balle, ou, sinon, de ne plus avoir à jouer qu'un putt facile.

On utilise le chip à moins de cinq mètres du bord d'un green. C'est un coup roulé avec très peu de distance en vol et un maximum de roulement. La balle doit atterrir un mètre après le bord de green et rouler jusqu'au trou.

Dans ce chapitre, vous ferez connaissance avec la proportion vol/roulement qui vous permettra de choisir le bon club à chaque fois, selon la configuration du coup. Quel que soit le fer sélectionné, il s'agit de l'adapter à sa fonction comme si c'était un putter, pour pouvoir utiliser le même mouvement de balancier qu'avec le putter.

Pour faire des chips efficaces et précis, transformez vos fers en putters.

Le concept *suite*

Jouer un fer comme le putter

Ci-contre en haut : comme beaucoup de bons chippers, David Duval a adopté un grip de putting pour éviter toute action des poignets.

Ci-contre en bas : en posant la tête de club sur sa pointe, elle va s'orienter à droite. Il faut donc la ramener face à l'objectif avant de jouer.

Pour jouer un fer comme s'il s'agissait d'un putter, vous avez trois choses à faire.

1 Posez le club sur la pointe pour qu'il soit aussi vertical qu'un putter. Comme au putting, vous serez ainsi plus près de la balle, avec les yeux au-dessus d'elle. Cependant, le fait de relever la tête de club oriente la face vers la droite, c'est pourquoi il faut rectifier son alignement. Cette position particulière du club va réduire l'effet latéral destructeur qu'une face ouverte peut avoir sur ce genre de coup à l'impact.

Avec la tête de club reposant uniquement sur la pointe, votre mouvement va être un simple balancier du club sur la ligne de jeu. Autre avantage : avec si peu de surface du club reposant sur le sol, vous ne risquez pas d'accrocher l'herbe et la face de club restera en ligne. Si la semelle du club reposait entièrement au sol, le talon risquerait de se bloquer et la face de club se refermerait à gauche.

2 Abaissez les mains sur le grip comme s'il s'agissait du putter. Ainsi, si vous avez un long club, les mains seront très abaissées, et beaucoup moins avec un petit fer. Vous pourrez alors vous pencher bien plus sur la balle jusqu'à placer les yeux au-dessus de la ligne de jeu, ce qui vous donnera un maximum de contrôle. Votre grip de chipping sera exactement celui du putting, les deux paumes face à face, et le grip calé dans les paumes des mains pour éviter de faire jouer les poignets.

3 Une fois votre fer transformé en putter, faites un mouvement de putting : un balancier contrôlé par les épaules, avec très peu d'action du corps et aucune des poignets.

La position

Votre position doit vous permettre de réduire les effets latéraux et l'ouverture excessive du club, qui sont les deux ennemis des balles roulées. Le meilleur mouvement de chipping crée un effet de topspin, avec très peu d'effet latéral et beaucoup de roulement. De ce point de vue, le plus important pour réduire cet effet latéral et de garder l'ouverture de club constante, c'est d'avoir un grip qui empêche l'action des poignets. Un grip correct va vous permettre de swinguer librement les bras à partir des épaules, le club va évoluer sur la ligne de jeu sans s'ouvrir ou se fermer. Pour être un bon chipper, vous devez conserver constamment la même ouverture de club.

Les mains *passives*

Avec les mains passives, il est plus facile de couvrir la bonne distance. Toute action des poignets ne peut qu'ajouter un élément de vitesse, ce qui compromet le toucher.

1

2

Du début à la fin, les mains restent tranquilles (à gauche). Si les poignets cassent (ci-dessous), vous risquez d'ouvrir la face de club et vos balles peuvent aller n'importe où.

3

Finissez *bien*

L'erreur la plus fréquente est d'arrêter le bras gauche juste avant l'impact. Quelle que soit votre volonté de garder les mains passives, elles se mettent en action dès lors que les bras s'arrêtent. En revenant vers la balle, la tête de club prend de la vitesse. Si vous arrêtez les bras à l'impact, la force de la tête de club la pousse au-delà des mains, et le poignet gauche s'affaiblit. L'ouverture effective du club va par exemple passer de 48 à 52°, ce qui est très risqué si vous voulez faire approche-putt.

La position *suite*

Largeur du stance

Pour donner l'ouverture nécessaire au club et que la balle franchisse le bord du green, il faut modifier un peu votre position. Comme le mouvement de chipping ne demande aucune action du corps, vos pieds vont être plus approchés. Comme dans le putting, tout mouvement du corps est non seulement inutile, mais aussi nuisible. Vous n'avez pas le temps de faire un transfert de poids, qui serait d'ailleurs inutile.

Stance ouvert

Placez 80 pour cent du poids sur le pied gauche, pour pouvoir revenir sur la balle avec un mouvement descendant. En reculant le pied gauche à l'adresse, le poids se porte naturellement sur la hanche gauche. Cette distribution du poids maintient le bas du corps et encourage le poids à rester à gauche du début à la fin.

Position de la balle

La balle est jouée face à l'intérieur du pied droit, et les mains sont placées à l'intérieur de la cuisse gauche. Le poids étant sur le pied gauche, on peut facilement obtenir un bon angle d'attaque, avec un mouvement descendant, sans avoir à essayer de frapper la balle. Avec la balle très en arrière du stance, les épaules se ferment naturellement, c'est pourquoi il est nécessaire d'ouvrir les pieds jusqu'à ce que la face de club soit dirigée sur l'objectif.

Distance par rapport à la balle

Bien que cette distance soit fonction de votre morphologie, vous devez être assez près de la balle pour que les yeux soient au-dessus de la ligne de jeu et que les bras pendent naturellement. La balle est généralement placée à une quinzaine de centimètres des pieds, ce qui va placer le manche du club dans une position très verticale, favorisant le mouvement de pendule. Le manche de club doit pointer vers l'épaule gauche.

Le mouvement

Une fois en position, le mouvement se fait par les épaules et les bras, sans aucune action des mains et des poignets. Les épaules contrôlent le mouvement exactement comme au putting. Pendant toute la durée du chip, le bas du corps reste fixe, mais pas rigide. Sur des chips plus longs, vous aurez besoin d'un minimum de rotation pour que les bras puissent jouer librement sans être gênés par les côtés du corps, mais ce mouvement n'est qu'une pure réaction.

Un bon mouvement de chipping est très comparable à celui du putting : c'est un mouvement contrôlé par les épaules sans action des poignets. Le bas du corps agit au minimum.

Le mouvement *suite*

Programmez votre chip comme un putt

Vous devez lire et visualiser un chip exactement comme un putt. Vous devez étudier la ligne de jeu, définir où vous voulez voir la balle commencer à rouler et où elle doit s'arrêter. Avec un bon choix de club et les ajustements nécessaires, il ne vous reste plus qu'à imaginer quelle force vous donneriez à un putt de même distance. Cela paraît évident, mais si votre chip doit prendre une pente, programmez-le comme un putt. Placez-vous en prolongement de la ligne où doit partir la balle et jouez cette ligne, en laissant la pente du green ramener la balle vers le trou.

Le point de chute

Une bordure de green n'est pas vraiment préparée pour que la balle y roule, c'est pourquoi il est hasardeux d'y faire atterrir la balle. De mauvais rebonds peuvent la dévier, l'herbe humide peut la ralentir, ou la terre dure l'accélérer. Choisissez un point de chute de la balle à un bon mètre à l'intérieur du green. Ainsi, vous allez survoler les problèmes et atterrir en sécurité.

Le bon choix de club

Les plus grandes erreurs de chipping sont commises avant même de jouer, quand on essaie d'utiliser le même club dans toutes les situations. La plupart des golfeurs ont un club de chipping préféré, le pitching wedge ou le fer sept par exemple, celui qui

leur paraît le plus sécurisant. Attention à ne pas confondre confort et exactitude. Il est beaucoup plus facile de développer un bon petit jeu en utilisant tous les fers, du fer trois au sand wedge en fonction des situations. Ainsi, au lieu d'avoir à modifier votre technique avec le même club, vous choisirez le club en fonction de votre technique et des circonstances.

Comme nous l'avons dit, il faut choisir le club qui aura assez d'ouverture pour poser la balle à un mètre à l'intérieur du green de manière à ce qu'elle roule ensuite jusqu'au drapeau. C'est ce que font les meilleurs chippers du monde, parmi lesquels Bernhard Langer, Nick Faldo ou Tom Watson.

Le secret d'un chipping régulier peut être défini ainsi : un seul mouvement pour toutes les situations, et différents clubs pour différentes distances. Plus le chip à faire sera long, moins le club sera ouvert. Pus le chip est court, plus le club est ouvert.

Les avantages de ce système

En premier lieu, utiliser le mouvement de putting offre le maximum de toucher, de précision et de contrôle de la distance. Ensuite, le mouvement de putting mettant très peu de parties du corps en mouvement, il y a donc moins de variables et moins de risques d'erreurs. De plus, vous avez toujours le club qui produit le meilleur rapport vol/roulement. Quatrièmement, votre cible est très proche de vous et donc plus facile à atteindre. Enfin, vous mettez en œuvre exactement la même énergie pour ce chip que pour un putt de la même distance : en vous entraînant au chipping, vous vous entraînerez aussi au putting, et réciproquement.

Rapport vol/roulement

Ce tableau de sélection des clubs vous expose le rapport entre le vol de balle et le roulement avec chaque club.

Vol et roulement

Club	Vol	Roulement
Sand wedge (Fer 11)	1 part	1 part
Pitching wedge (Fer 10)	1 part	2 parts
Fer 9	1 part	3 parts
Fer 8	1 part	4 parts
Fer 7	1 part	5 parts
Fer 6	1 part	6 parts
Fer 5	1 part	7 parts
Fer 4	1 part	8 parts
Fer 3	1 part	9 parts

Voici comment utiliser ce diagramme. Remarquez que les clubs très ouverts comme le wedge et le fer neuf présentent un rapport assez équilibré entre vol et roulement, et qu'une balle jouée au sand wedge vole autant qu'elle roule. Vous utiliserez donc ces fers quand le drapeau est proche du bord du green, avec peu de place pour jouer.

Plus la distance entre le bord du green et le drapeau augmente, plus vous devez faire rouler la balle, plus vous allez sélectionner pour exécuter vos chips des fers moyens, voire de longs fers quand la balle doit rouler sur la quasi-totalité du green. Mais comme il faut quand même faire un peu voler la balle, les fers un et deux sont trop fermés pour le chipping.

Les deux constantes

Il existe deux constantes dans tous les chips : la zone d'arrivée de la balle (un mètre à l'intérieur du green), et le nombre 12... Avoir toujours le même genre de cible, un mètre à l'intérieur du green, vous offre une cible facile et si d'aventure vous faites un chip moyen, il vous restera assez de marge d'erreur pour que la balle parvienne quand même sur le green.

Regardez notre grille pour comprendre la seconde constante, le chiffre 12. Prenez par exemple un chip qui requiert un mètre de vol et six mètres de roulement, la charte vous enseigne de prendre un fer six. En additionnant la distance de roulement au numéro du club, vous obtiendrez toujours 12. C'est pareil pour tous les clubs, avec bien sûr les multiples quand les distances ne sont pas aussi "carrées".

Pitch ou *chip ?*

Même si la balle est dans la zone de chipping, à moins de cinq mètres du green, le chip n'est pas toujours la solution. La position du trou par rapport à la configuration du green peut vous obliger à faire un pitch. Vous pouvez parfaitement être à deux mètres du green, mais avec un point de chute à neuf ou dix mètres. Vous devez alors effectuer un pitch pour faire une balle assez haute et qui s'arrête vite.

Les avantages de ce système *suite*

Les deux variables

En plus des deux constantes expliquées page précédente, on trouve deux éléments variables : la distance de vol, et la distance de roulement. Pour choisir le club adéquat, étudiez le rapport entre les deux.

Calcul du rapport

Une fois la ligne du chip déterminée, vous avez défini votre première constante, dans la mesure où le point de chute de la balle est forcément sur cette ligne, un mètre à l'intérieur du green. En comptant le nombre de pas de la balle à ce point de chute idéal, vous aurez votre première variable, la distance de vol.

Comptez alors le nombre de pas depuis ce point de chute jusqu'au drapeau pour déterminer votre seconde variable, la distance de roulement.

Vous disposez à présent assez d'informations pour un petit calcul arithmétique. Vous obtenez une fraction avec la distance de vol en haut de la fraction, que vous allez ramener à 1. Exemple, si vous avez une distance de vol de cinq mètres et une distance de roulement de quinze mètres, le rapport sera de 5/15, c'est-à-dire 1/3. 1 pour le vol et 3 pour le roulement.

Vous allez à présent déduire le dénominateur 3 du chiffre constant 12 pour identifier le bon club. Ce sera le fer neuf.

Si le rapport obtenu ne tombe pas juste, ajustez le rapport de la manière la plus facile pour un calcul mental. Vous pouvez ramener 3 pour 13 à 3 pour 12. Enfin, il faut bien sûr tenir compte de la pente éventuelle du green.

- Chip en montée : augmentez le roulement en prenant un fer cinq au lieu d'un fer six.
- Chip en descente : diminuez le roulement en prenant fer sept au lieu de six par exemple.

Attention, le propos d'un décompte de la distance de vol et de roulement n'est pas de vous donner une mesure absolument exacte. Vous devez simplement essayer de déterminer quel est le rapport entre la distance de vol et la distance de roulement. Vous vous trouverez rarement dans une situation où la balle sera exactement à trois mètres du green et le point de chute exactement à neuf mètres. C'est la proportion entre les deux qui compte, et cette méthode est simplement destinée à conforter votre analyse logique de la situation.

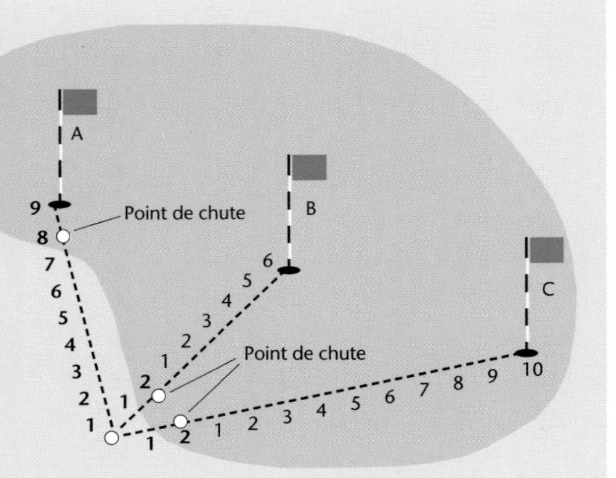

Drapeau A : la balle est tout près du green mais le point de chute idéal est à huit pas, vous devez faire un pitch.
Drapeau B : 2/6 égale 1/3 (1 de vol, 3 de roulement). 3 ôté de 12 égale 9. Jouez fer neuf.
Drapeau C : 2/10 égale 1/5. 5 ôté de 12 égale 7. Prenez fer sept.

Les trois étapes de l'apprentissage

Cette méthode peut paraître au premier abord un peu compliquée, mais elle deviendra une seconde nature avec un peu d'entraînement. Nous avons obtenu d'excellents résultats avec des milliers d'élèves, en procédant en trois étapes.

- Première étape, mesurez les distances et faites votre calcul mental.
- Deuxième étape, vous avez pris une telle habitude de mesurer vos distances qu'il est inutile de compter, vos yeux suffisent à les estimer. Vous visualisez chaque chip avec 1 part de vol et tant de roulement, le rapport entre eux devient automatique, grâce à l'entraînement.
- Tous les calculs ainsi que le choix du club se font instinctivement. Évaluez le coup et choisissez le club en conséquence.

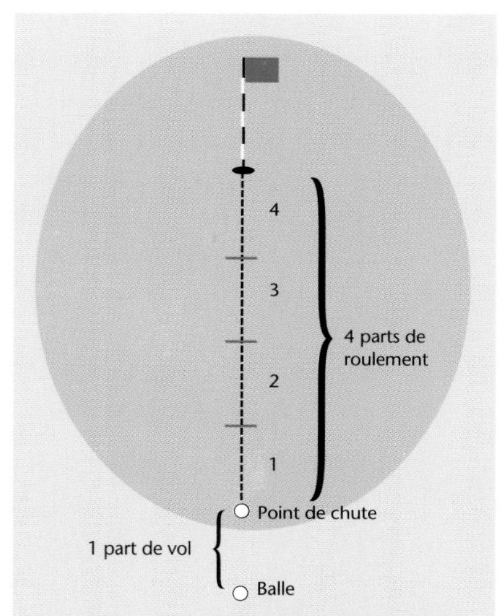

Finalement, vous concevrez le chip avec une part de vol et N parts de roulement. Enlevez N de 12 et vous aurez le bon club.

Les mêmes *enjambées*

Bien qu'il ne soit pas nécessaire de faire des pas d'un mètre avec cette méthode, il est indispensable de faire toujours les mêmes enjambées. Alors, il n'est pas inutile de mesurer vos pas par rapport à un mètre, car vous serez amené à les compter un peu partout sur le parcours pour mesurer vos distances au green. Prenez un mètre et marquez une distance de dix mètres. Comptez le nombre de pas nécessaires pour couvrir cette distance. Si vous comptez douze pas par exemple, ajustez la longueur de chaque enjambée pour ne plus faire que dix pas. Ce sont vos "pas de golf", plus longs que lorsque vous marchez normalement.

Exercices de chipping

1. Le chemin

Posez deux clubs au sol écartés d'une dizaine de centimètres et parallèles. Vous allez vous entraîner à chipper entre ces deux clubs pour garder la tête de club bien en ligne d'un bout à l'autre. Placez une balle entre les deux clubs et faites quelques chips. Vérifiez bien que la tête de club suit bien ces lignes à la montée, et pendant toute la traversée.

2. Les poignets

Placez un fer trois sous le bras gauche avec la tête vers le ciel et le grip vers le bas. Réunissez le grip avec celui du fer cinq avec lequel vous allez chipper et prenez votre grip de putting en tenant les deux grips à la fois. Si vos poignets restent passifs pendant le chip, le manche du fer trois finira bien dégagé du corps. Si vous avez arrêté le swing sur la balle et cassé les poignets, le manche va vous heurter les côtes, ce qui vous informera d'un mouvement incorrect.

3. Le poids du corps

En posant le pied droit sur la pointe de la chaussure, faites des chips avec le talon soulevé et le poids principalement sur le pied gauche. Garder le poids à gauche garantit un mouvement descendant vers la balle. Si vos poignets sont trop actifs, vérifiez votre position finale. Si le poids est passé à droite, c'est que vous avez joué des poignets pour faire passer la tête de club "sous la balle".

Chapitre dix

Le putting

Si l'on veut bien scorer au golf, les coups les plus importants se situent à moins de cent mètres du drapeau. 64 pour cent des coups de golf se font dans cette zone, et c'est pourtant l'aspect du jeu le moins travaillé. Les joueurs perçoivent souvent le petit jeu comme ennuyeux et même "peu viril", en tout cas pas aussi excitant que de taper des drives énormes. Cependant, un bon petit jeu contribue à l'égalité des chances, donnant aux joueurs de toutes conformations la faculté d'économiser des coups. En apprenant et en appliquant quelques fondamentaux, en sachant faire les coups qui ont le plus de chances de succès dans chaque situation, vous pouvez devenir un spécialiste des bons scores.

Il n'est pas exagéré de dire que la majorité des golfeurs préfèrent s'entraîner avec le driver qu'avec le putter, même si, pendant un parcours, on utilise un driver 14 fois alors que le putter occupe 40 pour cent du temps de jeu effectif. La façon la plus sûre de baisser vos scores, c'est de rentrer plus de putts.

Le putting paraît facile : la balle repose sur une surface pratiquement uniforme, sans obstacles tels que de l'eau ou un bunker. Le trou a un diamètre de plus de dix centimètres alors que la balle en mesure à peine quatre : il y a beaucoup de place pour loger la balle. Le coup lui-même est assez court et simple, et ne demande aucune force physique. Le putting green est un lieu égalitaire, où les joueurs se distinguent par leur seul talent. Cependant, quand bien même l'art du putting défie toute analyse, certains fondamentaux feront de vous un meilleur putter.

Les fondamentaux du putting

En claquant simplement vos mains l'une contre l'autre, vous apprendrez trois choses importantes sur le putting.

Bien qu'il existe plusieurs styles efficaces, le mouvement moderne de pendule permet de conserver le putter en ligne bien après l'impact. Ernie Els démontre ici pourquoi il est un des meilleurs joueurs mondiaux.

1. À ce moment, les mains forment une unité, les paumes sont face à face, exactement comme elles devront l'être au putting. Même quand les mains sont séparées, les paumes se font face pour que les mains puissent travailler ensemble. La paume droite est dirigée comme le dos de la main gauche. S'ils sont dirigés vers l'objectif, la face de club le sera forcément aussi.

2. En claquant des mains, vous apprendrez aussi à placer la balle par rapport aux pieds. Comme les mains se rejoignent naturellement au milieu du corps, il vous suffit alors de saisir le putter et d'incliner les hanches jusqu'à ce que la tête de club rejoigne le sol. Dans cette position simple, le grip du putter pointe vers le centre du corps. Pour positionner correctement la balle, il suffit de la mettre juste devant la tête de putter et vous aurez identifié le poids bas de votre arc de mouvement.

3. Enfin, en claquant les mains, vous apprenez le sens du mouvement lui-même. Pour pouvoir arriver ensemble au milieu du corps, chaque main doit effectuer un mouvement identique, pendulaire et régulier. C'est de cet équilibre dont vous aurez besoin en puttant : le putter va évoluer vers l'arrière puis vers l'avant sans jamais accélérer ni ralentir.

La technique de putting

Une fois bien assimilés les principes d'un mouvement pendulaire, la première étape consiste à orienter correctement la face de putter et à aligner correctement les épaules et les yeux vers la cible. L'orientation de la face de club détermine la direction initiale de la balle, l'alignement des épaules contrôle la direction du mouvement des bras, et donc le chemin de la tête de club. Et l'alignement des yeux influence le chemin des épaules.

La position devant la balle

1. Placez le putter directement derrière la balle afin qu'il soit face à l'objectif.

2. À présent, alignez les épaules parallèlement à la ligne de jeu, c'est-à-dire un peu à gauche de la cible. Une position fermée à l'adresse (épaules alignée à droite) amènerait la tête de club à revenir de l'intérieur vers l'extérieur, et à envoyer la balle à droite. Si les épaules sont ouvertes à l'adresse, le chemin de la tête de club sera extérieur-intérieur et la balle partira à gauche. Dans l'idéal, le putter joue le long de la ligne de jeu aussi longtemps que possible, et des deux côtés de la balle.

3. Pour prendre votre putter, laissez les mains pendre tranquillement, directement sous les épaules. Ainsi, les mains et les bras seront directement en position pour faire un mouvement en ligne. Si les mains ne sont pas bien placées, au-delà ou en deçà des épaules, elles auront tendance à reprendre leur place normale pendant le mouvement, d'où un changement de chemin de club. Si elles sont trop près du corps, vous risquez de couper la balle avec un chemin de club extérieur-intérieur. Et si elles sont trop loin du corps, la tête de club revient de l'intérieur, la face de club arrive ouverte sur la balle puis se referme en traversant. Elle n'est square qu'un bref instant.

Les yeux *au-dessus de la balle*

Penchez-vous en avant jusqu'à ce que les yeux soient directement au-dessus de la balle. Pour déterminer votre cible, tournez simplement la tête sans perturber l'alignement des yeux en la relevant. Les informations qu'ils fournissent déterminent fortement comment vont jouer les muscles, et le mouvement de putting suivra leur alignement : par essence, on putte où on regarde. Et la position des yeux à l'adresse influence l'alignement de la tête de putter.

- Avec les yeux au-delà de la ligne de jeu, vous verrez le trou à gauche de son emplacement réel et vous le manquerez par la gauche.
- Avec les yeux à l'intérieur de la ligne de jeu, vous allez rater votre objectif par la droite.

Le mouvement de putting

Il existe deux mouvements dans le golf : le swing et le balancier du putting.

- Le swing est contrôlé par le bas du corps, avec beaucoup d'action des poignets : l'association des deux crée la puissance. Ce mouvement est utilisé dans les longs coups.
- Le balancier est contrôlé par le haut du corps et ne met pas en action les poignets. On l'utilise dans le putting et le chipping, où la précision est essentielle et la force physique inutile. Dans ce mouvement, le grip doit maintenir les mains passives.

Placez les mains avec les paumes face à face, en direction de l'objectif. Posez le putter le long de la ligne de vie de la main gauche pour éliminer toute action des poignets. Le dos de la main gauche et la paume de la main droite font face à l'objectif, les pouces sont placés sur le sommet du grip. Le pouce et l'index vont vous apporter les sensations, c'est pourquoi, en les plaçant sur le club, vous devez les sentir en bonne position de travail.

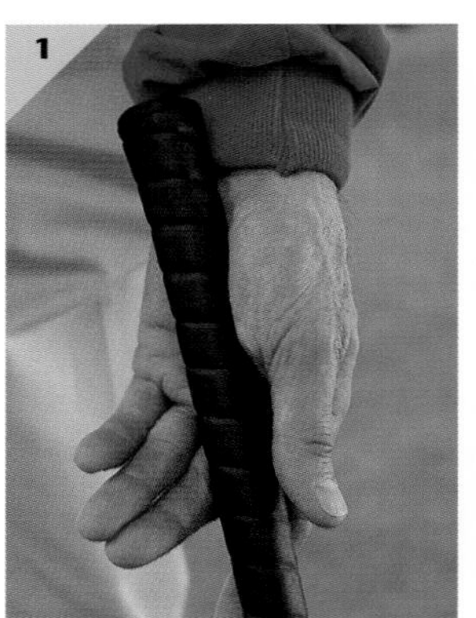
1

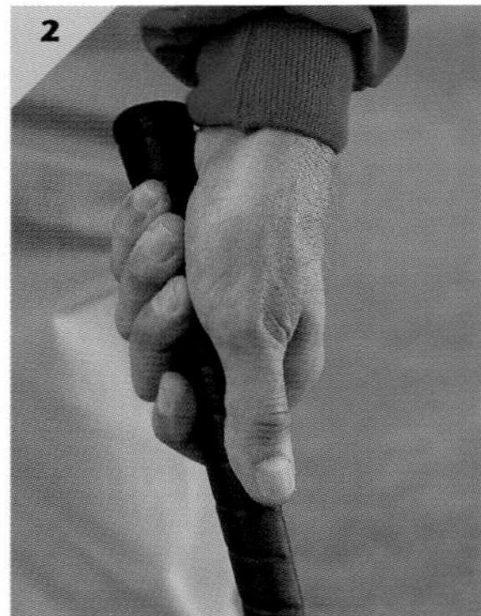
2

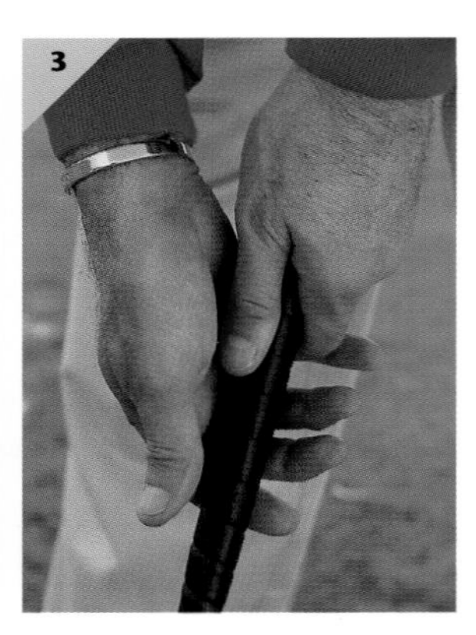
3

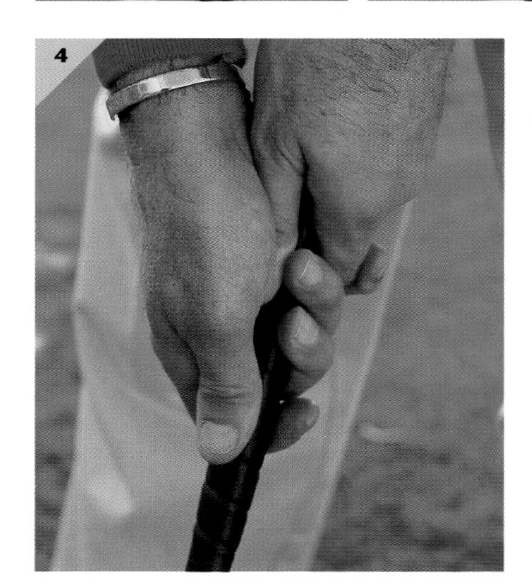
4

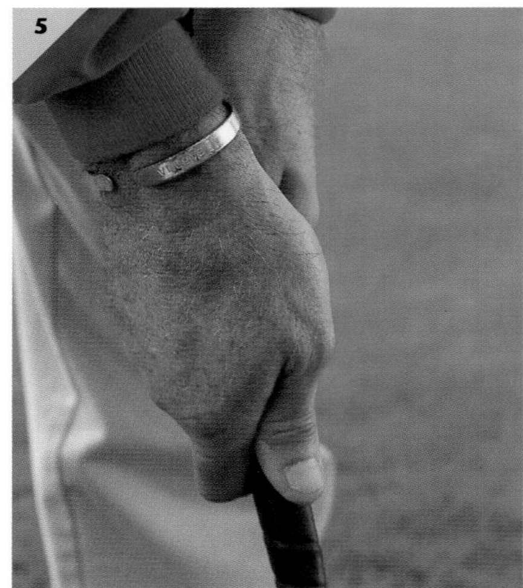
5

Le rôle des mains

Bien que les mains agissent à l'unisson, en faisant l'exercice suivant, vous pouvez comprendre comment chacune se coordonne à l'autre : pour sentir le bon mouvement de la main gauche, placez-vous en position normale, puis posez la main droite sur l'épaule gauche et prenez le club de la main gauche. Sans faire aucun backswing, poussez la balle vers le trou. Vous allez saisir la relation entre le dos de la main gauche et la face de putter : en effet, pour que la balle roule bien, vous êtes obligé de garder constamment le dos de la main gauche face à l'objectif.

Après avoir fait plusieurs fois cet exercice, ramenez la main droite sur le grip mais gardez les doigts ouverts et étendus le long du manche de manière que la paume de la main soit face à l'objectif. Poussez la balle vers l'objectif avec la paume de la main droite, en sentant bien son action énergique en direction de la cible. Comme dans un dribble de basket-ball, la direction où s'exerce l'énergie est toujours celle de la paume de la main.

Note : en plaçant la main droite sur le club, on crée un angle. Le poignet droit forme un léger angle avec l'avant-bras. De nombreux très bons putters gardent cet angle intact à l'impact pour éviter de jouer des poignets.

Le mouvement

Le mouvement de putting prend comme point d'ancrage le sommet de la colonne vertébrale, autour duquel vont agir les épaules. Ce point reste fixe alors que l'angle formé par les épaules et les bras agit de haut en bas. Ce triangle est maintenu en permanence, avec une égale distance entre les coudes, afin que le bas de l'arc du mouvement reste constant.

Le mouvement lui-même est très similaire à celui du balancier d'une horloge. Cette méthode convient à tous les types de surfaces de putting, c'est la plus efficace avec les putters dont le manche est inséré au milieu de la tête de club.

Les épaules de Greg Norman pivotent autour du sommet de la colonne vertébrale. C'est la base même du mouvement de putting moderne.

Les *avant-bras*

En plus de garder les mains passives, les avant-bras doivent travailler ensemble. L'avant-bras gauche est directement en avant du manche et l'avant-bras droit imédiatement derrière. Les avant-bras sont au même niveau, aucun des deux plus haut que l'autre.

Les *genoux*

Pliez les genoux jusqu'à ce que votre poids soit sur les talons, les genoux vers l'intérieur pour éliminer tout mouvement du bas du corps pendant le mouvement de putting. L'une des grandes différences entre un swing et ce mouvement, c'est qu'il n'y a pas ici d'action du bas du corps.

Les *pieds*

Placez les pieds à égale distance de la ligne de jeu et parallèles à celle-ci. L'écartement des pieds varie selon le confort de la position et la morphologie, mais vous devez avoir le poids solidement placé sur le côté gauche, pendant l'ensemble du mouvement.

Le mouvement de putting *suite*

Le *pendule*

Le principe d'un mouvement pendulaire, c'est une accélération sans effort, une force sans manipulation. N'ajoutez et n'enlevez aucune énergie au mouvement. Comme dans un plein swing, le meilleur putting démontre que tout relève des lois de la physique et rien de la fantaisie personnelle.

Un mouvement de pendule

On parle très souvent d'accélération de la tête de club à l'impact. Elle se produit uniquement dans la mesure où la tête de club évolue plus vite au bas de la descente à cause de la gravité. Quand on essaie vraiment de lui donner de la vitesse, le talon va plus vite que la pointe, ce qui ouvre la face de club. Et c'est l'inverse quand on essaie de faire un long mouvement très tranquille : on exagère, la montée est trop longue, on ralentit à l'approche de la balle, alors la face de club va se fermer.

1

La meilleure façon de putter, c'est de ne pas penser à manipuler le putter et de laisser les principes d'un mouvement pendulaire faire le travail pour vous. Avec un tel mouvement, il n'y a pas de frappe consciente, bien que la tête de club accélère à l'impact avec la face de club orientée sur l'objectif. Avec l'image d'un pendule qui contrôle le mouvement, son arc sera de même amplitude de part et d'autre de la balle, et vous trouverez facilement la force et la longueur correctes.

2

3

4

Les bases du putting

1 Tenez le club au niveau de la ligne de vie de la main gauche, les deux paumes face à face, dirigées vers l'objectif.

2 Alignez la face de club sur l'objectif, placez la tête de club directement derrière la balle.

3 Alignez les yeux parallèlement à la ligne de jeu. Votre œil dominant doit être au-desus de la balle.

4 Alignez les épaules parallèlement à la ligne de jeu.

5 Placez les mains directement sous les épaules.

6 Les pieds sont parallèles à la ligne de jeu, les genoux rentrés avec le poids sur les talons.

7 Maintenez les avant-bras parallèles et sur le même plan.

8 Le haut du grip est dirigé vers le centre du corps.

9 À la montée, laissez l'épaule gauche descendre alors que la droite remonte : les épaules vont ainsi contrôler, comme dans un mouvement de va-et-vient.

10 Maintenez constante la distance entre les coudes pendant tout le mouvement.

11 Gardez la tête immobile en permanence.

12 Maintenez l'angle du poignet droit pendant tout le mouvement.

La stratégie au putting

La préparation joue un grand rôle dans le succès ou l'échec d'un putt. Sur les greens, vous devez d'abord étudier (ou lire) le putt pour déterminer l'importance de la pente, la ligne du putt et la vitesse à donner.

La lecture des greens

Pour une première appréciation, placez-vous derrière le trou en remontant vers la balle. Vous verrez ainsi la pente générale. Regardez bien autour du trou parce que l'effet s'accentue quand la balle ralentit. Observez sur votre ligne les éventuels impacts de balle, les grains de sable et autres accidents qui peuvent dévier la balle.

Une fois appréciée la pente générale, placez-vous en contrebas de la ligne de putt pour avoir une meilleure idée encore de la pente. Au sommet d'une montagne, on a toujours l'impression que la vallée est plate, alors que si l'on regarde une montagne depuis la vallée, l'inclinaison est bien plus sensible. Attention à vous tenir à égale distance de la balle, de la ligne de jeu et du trou pour maintenir la perpective. Cette “triangulation” vous donnera une meilleure qualité de lecture.

Dernière lecture, de l'arrière de la balle. Vous pouvez alors déterminer la ligne et sélectionner un point de passage pour votre balle. Pour cela, observez en vous tenant dans le prolongement de la trajectoire initiale de la balle. Pour les putts à plat, c'est la ligne de jeu. Pour les autres, le fait de vous tenir dans la ligne de départ de la balle vous donnera une juste perspective du putt à jouer.

L'action *des épaules*

L'exercice ci-dessous vous aidera à mieux comprendre l'action des épaules. Placez un club sous les bras juste au-dessus des coudes. Si votre mouvement est correct, le manche de club va jouer de bas en haut, parallèlement à la ligne de jeu. Si le mouvement n'est pas correct, le club va tourner autour des épaules et pointer très à gauche à la fin du mouvement.

Observez *les drainages*

Quand une balle roule sur un green, c'est la pente qui influence le plus sa direction. Parfois, les contours sont difficiles à distinguer, mais le fait de savoir comment un architecte de golf conçoit un green vous aidera à mieux évaluer les effets de la pente. Une surface de putting bien conçue comporte des drainages permettant d'amener l'eau sur les côtés du green. En général, ces drains guident l'eau au-delà des bunkers, vers les points d'eau. Les changements de couleur de l'herbe autour des greens et les parties endommagées par des accumulations d'eau vous montreront la direction des flux d'eau.

La stratégie au putting *suite*

La lecture du grain

Un bon putting demande une bonne lecture du grain de l'herbe. La direction dans laquelle pousse l'herbe, que l'on appelle généralement "le grain", influe à la fois sur la vitesse et la direction d'un putt.

À l'entraînement, vous pouvez tester le grain en appuyant légèrement avec le putter. Si l'herbe se redresse ensuite, le grain est contre. Si elle reste couchée, le grain est avec. En compétition, les règles vous interdisent ce genre de test, mais rien ne vous empêche de tester l'avant-green ou le collier de green. Vérifiez quand même auparavant que c'est le même type d'herbe que celle du green.

Le grain affecte à la fois la courbe et la vitesse d'un putt. Putter contre le grain ralentit la balle, putter avec le grain l'accélère. Si le grain est en travers dans le même sens que la pente, les effets de celle-ci seront accentués. Notez encore que le grain latéral ralentit presque autant une balle que le grain contraire.

Le gazon des pays tropicaux comme le Bermuda pousse vers l'ouest et le soleil couchant. De plus, il pousse de manière très épaisse et en spirale, son grain est épais et influence beaucoup la vitesse et la direction des putts. Des herbes plus fines comme le Bent se couchent facilement et le grain n'est pas très influent. On trouve ce type de gazon dans les pays moins chauds, et le grain éventuel est en direction des sources d'eau.

Le soleil permet aussi de juger de la direction du grain. Si l'herbe paraît terne, il est contraire. Si l'herbe paraît brillante, il est avec vous.

Quelle sorte de putt ?

Ayant lu le green, vous voilà prêt à décider quel type de putt vous allez jouer parmi les trois possibles.

- Vous pouvez faire "mourir la balle", afin qu'elle arrive de justesse au bord du trou, et y bascule.
- Vous pouvez attaquer votre putt, estimer que tous les putts sont droits et jouer fermement "fond de trou", au niveau de la terre au-dessus de la coupelle.
- Vous pouvez jouer "plein trou", afin que la balle touche en entrant le bord de la coupelle métallique dans le trou.

Les avantages de la première méthode, c'est d'abord que la balle peut tomber par trois entrées : la balle arrivant à faible vitesse, elle peut tomber par le bord avant, ou encore par chacun des "côtés". Ensuite, si vous ratez le putt, il ne vous en restera ensuite qu'un tout petit. Mais cette méthode présente aussi des inconvénients. Si vous calculez mal, le putt "à mourir" n'arrivera pas même jusqu'au trou. De plus, sa faible vitesse rend la balle très sensible, non seulement aux pentes, mais aussi, singulièrement, aux imperfections du green (marques de balle, etc). Ce type de putt est généralement employé sur les longs putts, ceux où la pente est importante, sur les putts en descente et sur les greens très roulants.

Les avantages de la deuxième méthode, c'est en premier lieu que l'on élimine les petites pentes. Ensuite, les balles tiennent mieux les lignes et ne sont pas sensibles aux accidents de surface. Mais elle a aussi ses inconvénients : la taille du trou est "réduite" parce que la balle va trop vite pour basculer de côté, ensuite, le putt suivant risque d'être difficile. C'est pourquoi on utilise surtout cette méthode sur les putts courts en montée.

La troisième méthode (où l'on joue "plein trou") présente beaucoup moins d'inconvénients. Le trou a sa vraie dimension, les effets de la pente et des imperfections du green sont réduits, la balle arrive toujours au trou, et si elle le manque, la trajectoire suivie par la balle après le trou vous informe sur le sens du putt de retour, qui ne sera jamais très long. Le spécialiste américain du putting, Dave Pelz, estime que ce genre de putt décidé dépasse le trou de 40 centimètres environ.

Et quand des professionnels vous conseillent de putter "en mourant", souvenez-vous qu'ils ont la chance de jouer leurs tournois sur des greens parfaits, alors que beaucoup d'amateurs doivent s'accommoder de greens moyens, avec des trous pas très nets et parfois placés dans des pentes. Si vous puttez de cette manière, la balle risque de prendre tous les effets ou d'être déviée par le bord du trou.

Les petits putts

La théorie "never up-never in" ("si vous ne dépassez pas, vous n'avez aucune chance de rentrer") s'applique sur les putts courts. Gardez à l'esprit cette philosophie, afin qu'elle devienne partie prenante de votre stratégie. Être agressif sur ces putts vous assure d'atteindre la cible, mais aussi de pouvoir faire rouler la balle sans souci des traces de clou.

Quand vous êtes en mesure à l'adresse de voir entièrement le trou, identifiez un point précis sur sa face arrière et puttez vers lui. Cela vous obligera à vous concentrer sur un point très précis : si vous le manquez, la balle rentrera quand même.

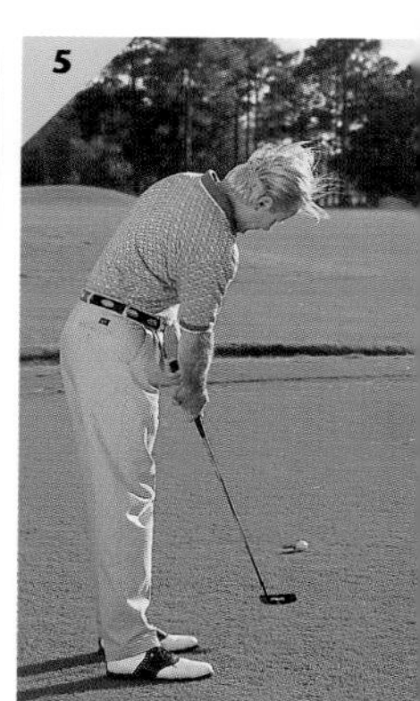

Soyez *réaliste*

Ce n'est pas parce que vous avez raté un putt qu'il faut changer de technique. Un fort pourcentage d'erreurs est dû aux imperfections de surface telles que les empreintes de pas ou les traces de clous. Les statistiques nous montrent qu'en un an, le joueur professionnel moyen manque 53 pour cent de ses putts à deux mètres. Deux leçons pour vous :

1 Fixez-vous des objectifs réalistes afin de préserver à la fois votre technique et votre image de vous-même.

2 Avec vos chips, vos pitchs et vos longs putts, votre balle doit finir à moins de deux mètres du trou.

Les longs putts

Mettre un très long putt "donné" (tout près du trou) demande un certain talent. La sagesse traditionnelle conseille de chercher à mettre la balle dans un rayon d'un mètre autour du trou mais quand le trou est dans une pente, tous les putts d'un mètre ne sont pas égaux. Si vous avez un peu joué au golf, vous savez que les putts d'un mètre de côté et en descente détruisent les bons scores.

Ceci dit, essayez de rentrer votre balle, mais si vous n'y réussissez pas, laissez-vous au moins un putt en montée, de manière à pouvoir attaquer en toute confiance le second putt. Quand il s'agit de faire à tout prix deux putts, l'endroit d'où vous putterez le second putt est aussi important que la manière de faire.

La plupart des bons spécialistes des longs putts ne cherchent pas à "mettre leur balle dans un cercle d'un mètre autour du trou". Ils essaient de la rentrer. En effet, sur un long putt, il n'est pas rare de manquer son objectif d'un bon mètre, et si vous ratez le fameux cercle, vous risquez de vous retrouver avec un second putt d'au moins deux mètres.

1

Sur les longs putts, faites prendre en charge le drapeau afin de ne pas avoir à chercher le trou quand vous jetez un dernier coup d'œil à votre objectif. Vous en aurez aussi une meilleure perception si quelqu'un est à côté du drapeau.

Un conseil : pour jouer les longs putts avec fermeté, concentrez votre attention sur l'arrière de la balle pour pouvoir garder la tête immobile jusqu'à ce que la balle se soit éloignée. En effet, si votre contact n'est pas bon, il vous restera ensuite ces redoutables putts de deux mètres. Après la distance et la pente, pensez à un bon contact.

Un solide *contact*

Cherchez le "sweet spot", l'endroit idéal de frappe, sur la face de putter et marquez son emplacement, car un bon putting demande un contact solide. Remarquez bien que ce point n'est pas obligatoirement au centre de la face du putter. Voilà comment le déterminer : tenez verticalement le manche du putter entre le pouce et l'index. Tapez la face de club avec une balle afin que le club balance d'avant en arrière. Quand l'oscillation se fait en droite ligne et pas en tournant, vous avez trouvé le point en question. Marquez le sommet de la lame du putter à cet endroit précis, avec une goutte de peinture.

La routine de putting

Une fois la ligne déterminée et votre décision prise sur le type de putt que vous allez jouer, faites un putt d'essai à côté de la balle tout en regardant le trou, afin de programmer votre cerveau et de bien apprécier la distance. Ainsi, vos yeux enregistrent cette distance et le cerveau calcule combien il faudra d'énergie. Pour un putt en descente, placez-vous entre votre balle et le trou. Pour un putt en montée, faites au contraire votre coup d'essai plus loin du trou pour tenir compte de la force supplémentaire.

Ensuite, faites un autre coup d'essai, cette fois en regardant la balle puis amenez en avant le putter afin que le sweet spot soit directement au milieu de la balle.

Placez les pieds et regardez la ligne jusqu'au trou en comptant "un", ramenez les yeux en comptant "deux", montez le putter en comptant "trois" et traversez en comptant "quatre". Le fait de compter "un, deux, trois, quatre" va éliminer toute tentation de penser à la technique. Une fois cette routine devenue une habitude, votre mouvement deviendra automatique.

1

2

3

Exercices de putting

Le propos des exercices est de répéter la sensation de ce que vous voulez apprendre et, une fois le nouveau mouvement parfait, de remplacer les mauvaises habitudes grâce à la répétition. Voici quelques exercices pour vous aider à perfectionner votre mouvement de putting une fois que vous saurez ce que vous devez faire quand vous jouez un putt.

Pour une face de club square

Installez-vous sur une partie plate du green à trois mètres environ du trou. Prenez une balle dont le périmètre est cerclé de manière à ce que la marque soit alignée sur la ligne de putt. Jouez la balle et observez sa rotation. Si la face de putter est square et que le mouvement est bon, la marque suivra la ligne de putt pratiquement sans bouger.

L'échelle de balles

Cet exercice est destiné à augmenter votre sensation de la distance. Placez cinq balles sur le putting-green. Puttez la première à deux mètres et, sans regarder le résultat, puttez la seconde à trois mètres, puis la troisième à quatre mètres, etc. Cet exercice vous aidera à sentir l'ampleur du mouvement des épaules pour chaque distance.

Le pendule au driver

Placez l'extrémité du grip du driver contre votre estomac, entre le nombril et le sternum. Abaissez les mains sur le manche comme si vous teniez un putter et alignez les avant-bras avec le manche du driver. Inclinez les hanches jusqu'à ce que la tête de club touche le sol. Faites un mouvement de putting en gardant le driver contre le ventre et en essayant de sentir le mouvement des épaules et des bras. Cet exercice vous fera bien sentir l'absence de mouvement des poignets.

Regardez le trou

Placez-vous et faites votre putt tout en regardant le trou au lieu de la balle, ce qui vous aidera à vous concentrer sur la cible au lieu de trop penser aux mécanismes du putting.

Avec trois clubs

Placez trois clubs au sol à des intervalles de trois mètres en trois mètres de votre balle. Jouez une première balle vers le club le plus loin de vous, puis une deuxième vers le club au milieu, et une troisième vers le club le plus près. Sur le parcours, on est confronté à des distances chaque fois différentes, et cet exercice vous aidera à vous adapter rapidement.

L'échelle de tees

Plantez un tee à 30 centimètres du trou et jouez trois balles. Si vous rentrez les trois, plantez un autre tee à 50 centimètres et rejouez trois balles. Chaque fois que vous rentrez toutes les balles, éloignez-vous de 20 centimètres et continuez. Si vous ne réussissez pas, revenez au tee précédent et recommencez. Devoir rentrer les trois putts pour avancer simule la pression de ce genre de putts sur un parcours.

Exercice *de pente*

Cet exercice va vous apprendre le contrôle de la distance, de la direction et la lecture des pentes. Faites un putt de trois mètres avec une bonne pente. Puttez une balle pour voir la ligne du putt. Placez ensuite sept balles le long de cette ligne, à 50 centimètres les unes des autres. Rentrez la première balle, puis jouez la seconde en direction de l'endroit où était la première, etc...

Exercice *du sweet spot*

Enduisez de craie la face de putter afin que votre balle laisse une marque d'impact quand vous faites un putt. Commencez avec des putts courts, et, chaque fois que vous avez effectué un bon contact cinq fois de suite, augmentez la distance de 3 mètres.

Chapitre onze

Les bunkers

Aux USA, on donne souvent aux bunkers un surnom qui témoigne de la crainte d'avoir à jouer dans le sable : des "pièges", mais ce mot n'existe pas vraiment dans le vocabulaire du golf. Les obstacles remplis de sable sont dénommés "bunkers". Bien jouer dans le sable demande non seulement le bon club, mais aussi la bonne attitude. Avoir un comportement positif et confiant découle d'une bonne technique, qui rend ce genre de coup relativement simple. La règle numéro 1 dans un bunker est d'en sortir la balle dès le premier coup.

Le club idéal est le sand wedge, spécialement conçu pour faciliter le jeu. Il a été inventé par Gene Sarazen qui a ajouté du plomb à la semelle de son wedge (autrefois appelé "niblick") afin que le tranchant pénètre vraiment dans le sable. Son invention fut si efficace qu'il recouvrait ses clubs d'une serviette pour éviter que ses adversaires ne copient cette arme secrète. Le secret fut vite divulgué, et on ne devait pas tarder à voir apparaître le véritable sand wedge, présent aujourd'hui dans tous les sacs de golf.

Dans une telle situation dans le bunker, la puissance de John Daly est inutile. La seule chose à faire, c'est de se résigner à revenir sagement sur le fairway.

Dans les bunkers de green

On trouve deux types principaux de sorties de bunker, selon la situation de la balle.

- D'abord, une bonne position, où la balle repose simplement sur la surface du sable.
- Une position difficile, où la balle est enfoncée dans le sable.

Selon la situation de la balle dans le sable, la technique peut être différente. Si elle est bien placée, on fera une sortie normale. Si elle est plus ou moins enfoncée, on utilisera la technique de l'explosion, dont le seul nom porte l'explication.

La sortie normale

Lorsque la balle est bien placée sur le sable, vous allez pouvoir faire une sortie normale où votre objectif est de contacter le sable avant la balle. Une bonne façon de considérer votre action, c'est que ce genre de coups est l'un des seuls où l'on vous autorise à faire une "gratte". Tout ce que l'on vous demande, c'est de déplacer le sable derrière la balle et sous elle, ce qui vous permettra de la lever et de la déposer sur le green sur un tapis de sable.

Le sand wedge : étudié pour les bunkers

Comme nous l'avons décrit dans le chapitre consacré à l'équipement, le sand wedge est un club très ouvert avec un rebond sous la semelle qui permet de déplacer le sable, et à la tête de club de glisser et de traverser le sable au lieu de s'y enfoncer. L'idée de base est de prendre une mince tranche de sable de la dimension d'un billet de banque au lieu du seau de sable que les joueurs imaginent.

Ce qui permet de "raser" le sable, c'est ce fameux "rebond". En observant le profil de la semelle de votre sand wedge, vous constaterez qu'il est plus bas que le bord d'attaque du club. Le rebond est un facteur de correction permettant au club de traverser effectivement le sable. Comme vous le verrez, renforcer encore ce rebond est essentiel pour bien exécuter une sortie en douceur, alors que réduire le rebond permettra de bien jouer le coup en explosion.

- Le "flange" est la dénomination de la partie du club qui va du bord d'attaque à l'arrière de la face de club.
- Le "rebond" (ou bounce) définit l'angle formé du bord d'attaque jusqu'à l'arrière de la face de club.

1

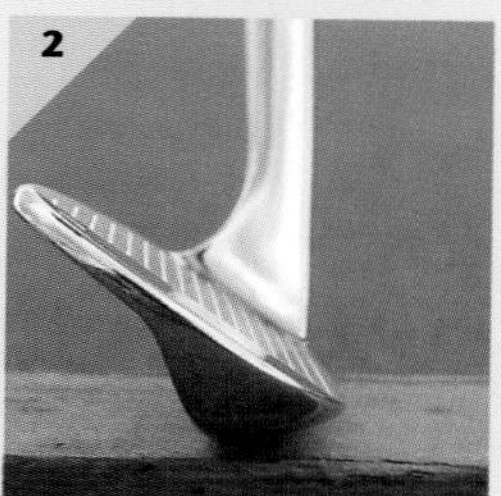

2

Mécanismes
de sortie

1. Placez la balle en avant du stance.
2. Ouvrez la face de club puis prenez votre grip.
3. Ouvrez le stance jusqu'à ce que la face de club soit orientée sur l'objectif, en conservant le grip vers le centre du corps.
4. Éloignez-vous de la balle et enfoncez bien les pieds dans le sol pour abaisser le point bas de l'arc de swing.
5. Vérifiez que votre tête est bien au milieu des épaules, et pas inclinée.
6. Swinguez le long de la ligne des épaules et gardez le poids sur le côté gauche tout au long du swing.

La méthode *au carré*

Au practice, tracez deux lignes perpendiculaires dans le sable et numérotez les quatre zones de 1 à 4. Une ligne pointe vers l'objectif, une autre est tracée par rapport au talon gauche. Placez la balle au croisement des deux lignes. Ainsi, elle sera placée bien en avant du stance, ce qui va vous encourager à frapper le sable d'abord. Ouvrez le stance et assurez-vous de démarrer la tête de club vers la zone 3, de suivre l'aligne- ment des épaules et de traverser vers la zone 1. Notez bien que le club ne pénètre jamais dans la zone 4, ce qui se produirait si l'alignement était square.

Un chemin de swing de 3 à 1 favorise le fait de couper la balle, ce qui permet au rebond du sand wedge de trancher à travers le sable pour donner à la balle cet atterrissage en douceur que vous recherchez.

Dans les bunkers de green *suite*

Malheureusement, beaucoup de joueurs essaient de tirer la balle du sable. C'est une technique dangereuse, qui aboutit souvent à faire des tops et des "fusées" où la balle va beaucoup trop loin. D'autres joueurs imaginent que la balle doit être extraite du sable, ils prennent alors trop de sable, et leurs sorties sont trop courtes dans le meilleur des cas, à moins de rester dans le bunker.

Confrontés aux coups qui traversent les greens et à ceux qui restent dans le bunker, il n'est pas étonnant que les golfeurs moyens entrent dans les bunkers avec une certaine nervosité. Mais, avec la bonne technique, la sortie du sable n'est plus aussi intimidante.

Les fondamentaux

Pour cette sortie "splash shot" comme on l'appelle souvent (ce qui signifie éclabousser), il s'agit d'ouvrir assez la face de club pour en augmenter le rebond. Plus la sortie est courte, plus la face de club est ouverte, mais attention à bien l'ouvrir avant de placer les mains sur le grip. Pour ce faire, maintenez la tête de club au-dessus de la balle avec la seule main droite pour orienter la face de club vers la droite de la cible. Prenez ensuite un grip normal, en gardant la face de club ouverte. Si vous prenez d'abord le grip, et que vous roulez les bras afin d'ouvrir la face de club, ils reviendront à leur position naturelle à l'impact, et la face de club sera fermée.

Ensuite, avec l'extrémité du grip pointant vers le centre du corps, ouvrez le stance en reculant le pied gauche jusqu'à ce que la face de club soit face à l'objectif. En ouvrant le stance, vous allez effectivement raccourcir la longueur de la jambe gauche et reporter votre poids sur elle. Vous aurez ainsi une plate-forme solide qui favorisera un mouvement descendant et traversant la balle. Pour exécuter ce coup correctement, le club va swinguer dans la ligne des épaules, il faut par conséquent placer la balle vers l'avant, en face du talon gauche. Ainsi, les épaules vont s'ouvrir, le plan de swing sera extérieur-intérieur, le club va découper une tranche de sable et sortir la balle avec.

En prenant le stance, ancrez bien les pieds dans le sable pour vous donner plus d'assise. Les pieds plus bas que la balle amènent à taper derrière la balle, ce qui est un élément essentiel. En enfonçant les pieds, vous pourrez aussi éprouver la consistance et la texture du sable, information indispensable pour déterminer le point d'entrée dans le sable et la force à donner. Cependant, en enfonçant les pieds, on ramène le club plus près de soi, il faut donc se tenir un peu plus loin de la balle. Pour chaque centimètre de profondeur, reculez d'un centimètre.

Le point final avant de jouer est la place de la tête et de la colonne vertébrale. Il est essentiel de maintenir la tête au centre du corps sans incliner la colonne vertébrale vers la gauche, ou (ce qui est fréquent) vers l'épaule droite. Le poids de la tête est important, et le fait d'incliner la tête et la colonne vertébrale vers l'épaule droite va amener tout le poids vers la droite, et vous serez tordu devant la balle.

Le swing lui-même se fait principalement par le haut du corps, parce que le poids reste à gauche pendant tout le mouvement. Les bras swinguent pleinement, ce qui permet au club de jouer selon l'alignement des épaules.

Le poids étant à gauche, le swing va être dominé par la partie supérieure du corps, et principalement par les bras et les épaules. Notez qu'il y a une action minimale du bas du corps (les hanches et les genoux sont passifs) au cours du backswing, alors que la descente montre une action importante du bas du corps, permettant à la tête de club de glisser dans le sable par le rebond et non par le bord d'attaque du club.

La sortie
très courte

De temps à autre, vous aurez à faire une courte sortie de bunker, quand il faudra faire atterrir la balle en douceur, avec le drapeau juste derrière le bunker par exemple. On joue ce genre de coup de la même façon qu'une sortie normale avec un swing très doux, sauf que l'on ouvre le stance jusqu'à être pratiquement face à l'objectif. Mais avec une position aussi ouverte, assurez-vous que la balle est bien placée en face du talon gauche. Si vous ne le faites pas, le fait d'ouvrir autant le stance risque de reporter la balle en arrière du stance, ce qui ne facilite pas une trajectoire haute.

De plus, ouvrez la face de club jusqu'à ce qu'elle pointe bien à droite de l'objectif. Ainsi, l'ouverture du club étant augmentée, la balle va voler plus haut et moins loin.

Dans cette situation, l'erreur fréquente est d'avancer les mains, parfois même au-delà de la balle. On réduit alors l'ouverture, et l'insertion du club et du manche se rapproche dangereusement de la balle ; faites donc très attention à garder le grip face au centre du corps.

Dans les bunkers de green *suite*

Face, assise et rythme : contrôler la distance

Vous pouvez devenir un champion des bunkers en vous référant constamment à un système en trois points pour vous placer correctement et contrôler la distance de vos sorties de bunker.

- La première partie de ce système, **la face**, se réfère bien sûr à la face de club, qui détermine en premier lieu la distance. Plus vous ouvrez la face de club, plus la balle ira haut, moins elle ira loin. Déterminez d'abord l'ouverture nécessaire pour dépasser la lèvre du bunker, et estimez la distance totale requise pour le coup, puis ouvrez la face de club en conséquence.
- La deuxième partie de ce système se réfère à **l'assise**, qui repose sur le stance, la position des pieds. Ouvrez ainsi le stance, jusqu'à ce que l'ouverture de la tête de club revienne en face de l'objectif. Déterminez ensuite où se trouve le point d'entrée de votre club dans le sable. On apprend en s'entraînant mais, en règle générale, plus vous tapez loin derrière la balle, plus le coup sera court. Et moins vous prenez de sable, plus long sera le coup.
- Troisième facteur, **le rythme**. Plus le coup doit être court, plus le rythme sera tranquille. Plus il sera long, plus le rythme sera vif. On limite la longueur du swing en ouvrant la base du swing (le stance), et on règle la distance en ajustant la face de club et le rythme.

Une fois connues la face de club et la base d'appui du swing, le contrôle de la distance de vol de la balle est un peu comme un système d'essuie-glaces à trois vitesses, mais chacune à vitesse constante d'un bout à l'autre.

- Pour une longue sortie, la vitesse est rapide.
- Pour une sortie moyenne, la vitesse est moyenne.
- Pour une sortie courte, la vitesse est lente.

Sur les planches

Enfoncez dans le sable une planche de bois peint de 5 x 10 et de 40 centimètres de long afin que le côté de 10 centimètres affleure le sable. Sans balle, adressez le milieu de la planche et swinguez le club comme nous l'avons décrit, de manière que le rebond du club touche la planche. Vérifiez à présent la tête de club : si le tranchant du club porte des traces de peinture, le swing était incorrect. Si c'est le rebond qui porte des traces, vous avez correctement utilisé le club.

Placez maintenant du sable sur la planche et faites le même mouvement afin que le rebond

touche la planche, ce qui envoie le sable sur le green. Placez maintenant une balle sur le sable et, toujours avec le même mouvement, la balle et le sable vont voler jusqu'au green.

Vous sentirez le mouvement correct parce que la planche vous obligera à swinguer correctement. Une fois acquise la sensation de la tête de club qui rebondit au lieu de s'enfoncer, posez une balle sur le sable près de la planche et essayez de reproduire la même sensation avec un swing normal. Si vous avez des difficultés, revenez à la planche jusqu'à ce que vous sortiez correctement la balle.

La balle enfoncée

Jouer une balle enfoncée n'est pas vraiment comme jouer une balle reposant sur le sable. La balle étant sous la surface du sable, le club doit entrer profondément dans le sable pour extraire la balle. Pour y parvenir, placez la balle entre le milieu du stance et le pied droit, et fermez la face de club jusqu'à ce qu'elle soit face à l'objectif. Grâce au bord d'attaque de la face de club et à l'élimination du rebond, le club va pénétrer dans le sable et, grâce à l'action combinée des mains et des bras, vous pourrez swinguer de manière abrupte de haut en bas, sur l'arrière de la balle. Ce mouvement descendant, ainsi que la face de club fermée, permettront au club d'entrer dans le sable et d'en extraire la balle.

Contrairement à une sortie normale, n'essayez pas de traverser. Vous allez en fait enterrer la tête de club, ou presque, à la fin du swing. Avec un tel coup, l'effet de backspin est quasiment nul, votre balle aura une trajectoire basse et roulera beaucoup. Trop souvent, les joueurs essaient de soulever une balle enterrée et ne la sortent pas du tout. Une technique correcte élimine ce problème. Faites cependant attention, même les joueurs professionnels ont du mal à contrôler ce coup. Contentez-vous de sortir la balle et de la poser quelque part sur le green.

Pour une balle *enfoncée*

1 Placez la balle en arrière du stance.

2 Fermez la face de club pour qu'elle soit face à la cible.

3 Grâce à l'action des mains et des bras, faites un swing descendant juste derrière la balle, sans essayer de traverser.

4 Il y a peu de backspin, la trajectoire est basse, et la balle va rouler.

1 Reculez le pied gauche pour mettre les hanches à l'horizontale et placer le poids vers la pente.

2 Avec un angle d'attaque vertical, la tête de club entre dans le sable et la traversée est limitée.

Les bunkers de fairway

Pour les joueurs moyens, les sorties de bunker de fairway figurent parmi les coups les plus difficiles. C'est parce qu'ils ne savent pas comment les planifier et les exécuter.

Les trois critères pour choisir le club

Avant de choisir un club pour jouer une sortie de bunker de fairway, vous devez prendre en compte trois considérations :

- La position de la balle dans le sable.
- La hauteur de la lèvre du bunker.
- La longueur du coup à jouer.

La position de la balle détermine le type de coup que vous pouvez faire. La hauteur de la lèvre détermine quel club va convenir pour la franchir. Et la longueur du coup intervient en dernier lieu.

- Si la balle est enfoncée dans le sable, peu importe la longueur du coup idéal, prenez un sand wedge pour vous sortir de là.
- Si la balle est bien placée sur la surface du sable et qu'elle peut être jouée facilement, examinez la hauteur de la lèvre du bunker. Vous choisirez un club dont l'ouverture est suffisante pour passer au-dessus sans problèmes. Et comme la technique de sortie de l'obstacle raccourcit la distance possible du coup, vous devez prendre un club de plus que sur l'herbe, tenez-en compte dans votre calcul.

Si la position de la balle et la hauteur de la lèvre sont favorables, examinez alors le problème de la distance. S'il faut un fer quatre pour aller jusqu'au green mais qu'il faut au maximum fer sept pour passer la lèvre, jouez fer sept. La longueur n'intervient que si rien ne s'y oppose.

La position

L'essentiel ici, c'est de sortir du bunker. À moins d'être un expert, ne prenez jamais de club inférieur à fer quatre. Il n'est déjà pas facile de lever la balle sur un fairway avec un long fer ou un bois, alors laissez-les dans le sac quand vous avez en supplément le souci du sable et de la lèvre de l'obstacle.

À l'adresse, commencez par abaisser les mains sur le grip de deux à trois centimètres, ce qui vous permettra de faire un swing mieux contrôlé. Jouez la balle au milieu des pieds pour pouvoir mieux la prendre de manière nette. Placez-vous un peu plus loin de la balle que normalement, en allongeant un peu les bras, ce qui vous aidera à ne pas prendre le sable avant la balle, ce qui arrive très souvent dans un bunker de fairway.

Il n'est pas mauvais non plus d'élargir le stance et même de l'ouvrir un peu, d'ancrer le pied gauche en portant 60 pour cent de votre poids sur lui, et d'enfoncer le pied droit en orientant le genou droit vers l'objectif. Les épaules restent square, malgré l'ouverture des pieds.

L'ouverture *de club*

Si vous ne savez pas quelle ouverture de club convient pour sortir d'un bunker, voici une technique simple. Prenez le club que vous pensez devoir jouer. Posez-le sur le sol, à côté du bunker, le grip en direction de l'objectif. En plaçant le pied sur la face de club, l'extrémité va se relever et son angle va indiquer l'ouverture approximative du club, et l'angle de départ de la balle. Attention, vous ne pouvez pas le faire dans l'obstacle, sauf à l'entraînement.

Le swing : pensez "clean"

L'idée de base pour une telle sortie de bunker, c'est de prendre la balle le plus nettement possible : il vaut mieux une balle un peu toppée qu'une "gratte". Certains joueurs cherchent à attraper la balle en la toppant volontairement, pour éviter de prendre le sable avant la balle. Une fois cette idée bien comprise, gardez le bas du corps assez passif pendant le swing. Vous allez faire trois quarts de swing avec la plus grande partie du poids du corps sur le côté gauche. En réduisant le transfert de poids, vous n'aurez pas de risque de vous enfoncer dans le sable au sommet du backswing, ce qui garantirait à coup sûr de heurter d'abord le sable.

Chapitre douze

Le jeu intérieur

Tout ceux qui ont souffert sur un parcours peuvent envier le style détendu et l'attitude "siffler en travaillant" de Fuzzy Zoeller.

On peut se demander ce qui sépare ceux qui ne jouent jamais bien, ceux qui jouent bien sauf en compétition et ceux qui jouent bien tout le temps. Cette question complexe appelle des réponses encore plus complexes, mais on peut au moins avancer une chose : le mauvais joueur ne s'investit pas vraiment dans ce qu'il fait, le bon joueur s'investit avant de jouer, le grand joueur s'investit dans ce qu'il fait au moment précis où il joue.

La plupart des golfeurs ne s'engagent pas complètement parce que l'idée du coup à jouer n'est pas très claire dans leur tête. Ils sont avant tout soucieux de *ne pas faire* quelque chose : "N'envoie pas la balle à gauche, ne mets pas ta balle dans l'eau." Jouer de manière négative ne marche pas, parce qu'aucun engagement précis n'est alors possible. Et si le cerveau travaille sur la gamme complète des "ne fais pas", il sera incapable de donner l'ordre aux muscles de swinguer correctement.

Obéir aux ordres n'est pas meilleur

Certains golfeurs fonctionnent avec des "faites ci ou çà", notamment les joueurs de niveau moyen dont la tête est farcie d'informations, telles que "tiens le bras droit le long du corps, garde la tête sur la balle, etc." Le système "Faites ce que je dis" ordonne au cerveau de s'investir dans une activité motrice complète (la descente vers la balle) qui ne dure qu'un demi-dixième de seconde. Ce n'est pas une solution, car si vous en êtes encore à réfléchir à ce qu'il faut faire pendant que vous le faites, vos chances de faire un bon swing sont bien minces.

Engagez-vous au meilleur golf

Les grands joueurs décident ce qu'ils vont faire et s'y tiennent pendant tout le swing. Une façon de maintenir le cap du début à la fin est d'utiliser des images tellement convaincantes qu'elles captent votre esprit. Si votre image du coup à jouer est claire et forte, toutes vos ressources seront occupées à la traduire en réalité.

La puissance des images

Vos images mentales naissent à mesure que vous rassemblez des informations sur votre monde et déclenchent vos réponses motrices. Quand vous êtes en retard, vous courez après un taxi. Quand vous avez peur, vous fuyez le tigre le plus vite possible. Les muscles font leur travail technique de manière inconsciente, et vous n'avez pas besoin d'y penser. Si vous vous demandez comment on court, vous serez en retard, ou dévoré. Avec un club de golf, le désir de penser à ce que l'on fait est très puissant. La conscience est en alerte et pendant la demi-seconde qu'il faut pour ramener le club sur la balle, vous n'avez pas le temps de donner des instructions. Rien ne peut vous arrêter. C'est pourquoi Ben Hogan disait que "le downswing n'est pas le bon moment pour un cours de golf".

Un bon exemple d'échappée de soi, c'est Terry Larson qui nous la donne. Il joua un jour 18 trous de "golf-vitesse" en moins de 40 minutes, et scora 75. La veille, lors de son parcours d'entraînement, il avait passé trois heures et demie sur le parcours et scoré 77. Voici comment il l'explique : "Quand on joue au base-ball ou au tennis, on réagit par rapport à une cible. Au golf, la balle est immobile et on finit par penser trop. En jouant très vite, on court entre chaque coup, on regarde la cible et on tape sans réfléchir."

Maintenant, si vous n'avez pas appris à swinguer le club correctement, relisez les chapitres précédents ou allez voir votre professeur. En effet, imaginer votre balle arriver au drapeau ne sert à rien si vous ne savez pas jouer un fer sept. Cependant, une fois les bases bien comprises, si vous voulez jouer votre meilleur golf, mettez les théories de côté et laissez les images prendre le pouvoir. Mais si vous ne devez pas penser aux mécanismes, à quoi penser ? La réponse est simple : vous devez vous occuper l'esprit avec des images en utilisant votre imagination.

Le Dr Rod Borrie place ses patients dans des caissons étanches pour les aider à créer leurs propres images. Il déclare : "Le cerveau conscient peut traiter environ sept bits d'information à la fois, mais des actions complexes comme les mouvements athlétiques contiennent davantage d'informations." Ainsi, pour jouer votre meilleur golf, vous devrez amener les mouvements complexes du swing de golf à votre compétence inconsciente.

L'utilité des images

1 Elles occupent votre esprit pendant que vous swinguez, ce qui ne laisse pas de place aux conseils paralysants "faites ci ou çà".

2 Les images déclenchent des réponses motrices : quand vous imaginez quelque chose, vos muscles sont prêts à le faire.

La naissance des images

Tandis que vous utilisez tous vos sens pour comprendre le monde, la plupart des gens ont un système de sens dominants avec lesquels ils sont très à l'aise quand ils traitent l'information et qui projettent des réponses à leur environnement.

- Si vous êtes un individu de type visuel, votre image peut être d'envoyer la balle dans tel nuage et de la voir tomber du nuage près du drapeau, ou de voir la balle partir d'une rampe de lancement avec un panache de fumée, ou encore de voir la balle descendre en parachute sur le green.
- Si vous êtes un auditif, votre imagerie personnelle peut se développer au travers de mots imagés tels que "du sirop", ou "léger comme la plume", ou de phrases telles que "prends ton grip et cogne" ou encore "finit haut et regarde la balle voler".
- Si vous êtes un joueur de sensations, la plupart de vos images seront associées à un tic spécial, comme un certain waggle, ou faire des coups d'essai qui reproduisent exactement ce que vous voulez faire.

Les images fondamentales sont aussi variées que les coups que vous êtes amené à faire, et la capacité de trouver l'image qui convient à la demande du moment est un des éléments créatifs du golf. Le pouvoir d'imagination est un élément fondateur du "golfeur en tant qu'artiste". D'abord, vous imaginez le coup, ensuite vous le créez avec votre swing.

Quand vous en serez au point d'avoir une vision vivace et multisensorielle avant chaque coup, vous aurez ajouté toute la puissance des images à votre panoplie de ressources golfiques. C'est une addition majeure, et la condition *sine qua non* de la grandeur d'un joueur.

L'imagerie des grands joueurs

Seve Ballesteros

"Pour prendre confiance, je dois voir – c'est à dire visualiser clairement – une ligne allant de la balle à mon objectif, et cela dès le début de ma préparation, et, ce qui est tout aussi important, jusqu'à la fin de ma routine... Une fois que tout est bien en place, le corps répond pratiquement de manière réflexe à l'image de mon cerveau."

Greg Norman

"Il faut entrer en mémoire les bons coups de golf pour s'y référer ultérieurement. Ainsi, on peut les utiliser en complément d'une autre technique de renfort du jeu, la visualisation. Vous voyez en détail le coup idéal. Ensuite, vous vous souvenez de coups similaires et vous gagnez de la confiance parce qu'ils avaient réussi. Je peux me souvenir de bons coups pour chaque situation et je me les remémore chaque fois que je joue."

Jack Nicklaus

"Même au practice, je ne tape jamais un coup sans en avoir une vision très claire. D'abord je *vois* où je veux que ma balle finisse. Puis le décor change et je vois la balle finir sa course. Ensuite il y a une sorte de fondu, et je me vois faire le swing qui va transformer en réalité les images précédentes."

Comment jouent les champions ?

Vous ne trouverez pas de références au coude droit ou au genou gauche dans les idées des champions sur leur swing. Il n'est pas bon de jouer au golf avec des manipulations conscientes, en essayant de faire quelque chose en exécutant le swing. La plus grande erreur que puissent commettre les joueurs, c'est de submerger le swing de golf par un excès d'attentions. Pour bien jouer, il faut simplement faire le contraire, développer une compétence inconsciente.

Voici la question, s'ils ne jouent ni par "ne faites pas..." ni par "faites donc..." comment les champions jouent-ils ? La réponse est simple, ils jouent un objectif. Chaque coup de golf met en relation le joueur et la cible, à laquelle les sens vous relient.

Les champions ne pensent qu'à l'objectif

Quand vous êtes concentré sur la cible, vos sens déclenchent des sensations, des visions, des rythmes, des cadences qui sont automatiquement traduits en réponses motrices. Autrement dit, d'après les données fournies par vos sens, le corps se charge de la distance et de la direction nécessaires pour envoyer la balle sur l'objectif.

Jouez dans le mouvement

Votre conscience cérébrale est impulsive. Elle est concentrée sur "faire". C'est du court terme. Ce qui s'inscrit sur votre écran mental, c'est le but momentané, votre plan d'action immédiate. Ce qui décrit le mieux le rapport esprit/cerveau, c'est "Je suis prêt, j'y vais."

Votre subconscient contient toute votre expérience. Ainsi, il est composé d'une très vaste base de données de connaissances silencieuses. Il est contemplatif, son objectif est d'évaluer.

Votre subconscient esprit/cerveau est basé sur le long terme. Il forme des jugements de valeur sur vos capacités et l'à-propos de vos réponses aux défis de votre environnement. C'est le conseiller du comportement moteur et le siège de la compétence inconsciente. Votre cerveau conscient a besoin d'une approbation pour que les choses se fassent correctement. La phrase qui décrira le mieux cet aspect inconscient, c'est "Attendons, et considérons la situation."

Lorsque notre conscient et notre subconscient sont en accord, tous nos systèmes musculaires, neurologiques, visuels, etc., sont en phase. Cette harmonie totale se traduit par le signal "Partez".

Ce signal de départ ne signifie pas que vous allez taper un bon coup, mais il vous offre la meilleure chance de bien jouer. La régularité, c'est la permanence du signal "Partez". Alors, cette unanimité vous amène dans ce que l'on appelle "la zone", cet état de super-performance où le swing de golf est placé sous le contrôle de la compétence inconsciente, celle qui s'empare de vos mains et vous fait faire des merveilles.

Comment jouent les champions ? *suite*

Sur le *parcours*

Il est prudent de se souvenir que nombre d'architectes de golf pratiquent une sorte d'intimidation visuelle. Ils dessinent des parcours qui présentent au joueur moyen des bunkers effrayants, des monticules, de l'eau, des greens tourmentés et des traverses de chemin de fer pour flanquer les bunkers. Appelés parcours-challenge, ils sont conçus pour terroriser visuellement le golfeur, et le font effectivement. Pour Robert Trent Jones Jr, "l'architecte doit exposer le .départ au vent, parce que le temps va vous distraire et provoquer le doute... Certains départs sont placés en fonction de cet élément psychologique. Par exemple, on peut les disposer de façon à intimider les joueurs... Les architectes adorent utiliser cette technique pour provoquer l'indécision du coup et du club à jouer."

La science mesure le "Ne pars pas"

Richard Lonetto a dirigé des recherches sur les rythmes cardiaques pour déterminer comment les golfeurs se comportent sous pression. On trouve deux types différents, l'un associé avec les bons coups, l'autre avec les mauvais. Les sujets étaient quinze joueurs de tournoi et quinze amateurs entre 2 et 23 de handicap.

Les bons coups de golf

Le rythme cardiaque pour les bons coups coïncide avec les rapports subjectifs. Les joueurs à l'adresse déclarent que leur esprit est "tranquille", sans aucun doute interne, ils se sentent sûrs de leur plan de jeu, et concentrés sur le coup qu'ils ont à faire. Il y a une sorte d'excitation, mais c'est en anticipation d'un bon coup. Il y a un peu de trac, mais c'est pour la bonne cause.

Lorsqu'on leur demande de décrire les signaux reçus du subconscient, les golfeurs emploient des termes tels que solide, bien équilibré, synchronisé. Ces joueurs sont en harmonie conscient-inconscient et leurs sentiments tournés vers le signal "Partez".

Les mauvais coups

Quand les sujets jouent mal, on trouve un schéma distinct relatif à un rythme cardiaque très différent de celui des bons coups. Ils se décrivent comme anxieux, avec beaucoup d'idées négatives, ils ne sont pas sûrs d'avoir bien programmé, et ne sont pas vraiment investis dans leur coup. Ils sont anxieux de voir le résultat. Le trac est à son maximum.

Certains messages de notre subconscient parviennent à notre conscience sous la forme de "Non", et si vous les ignorez, en essayant de jouer malgré eux, vous n'atteindrez jamais votre potentiel golfique, quelle que soit la qualité de votre swing.

La meilleure façon de contrer ses signaux "Non", c'est de se concentrer sur l'objectif à l'exclusion de toute autre chose. Tournez votre esprit vers l'objectif plutôt que vers les

Profil des mauvais coups

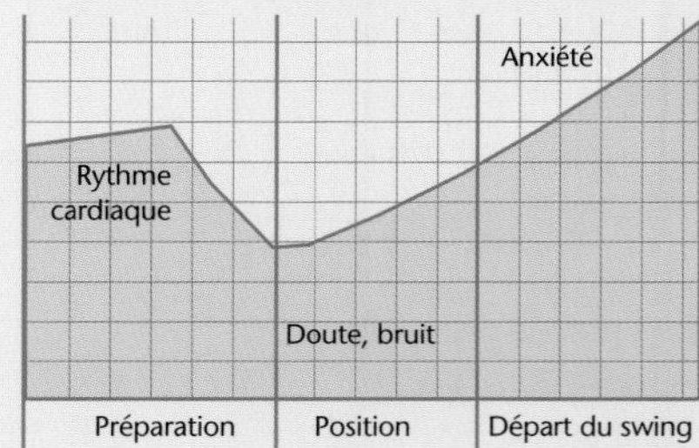

Profil des bons coups

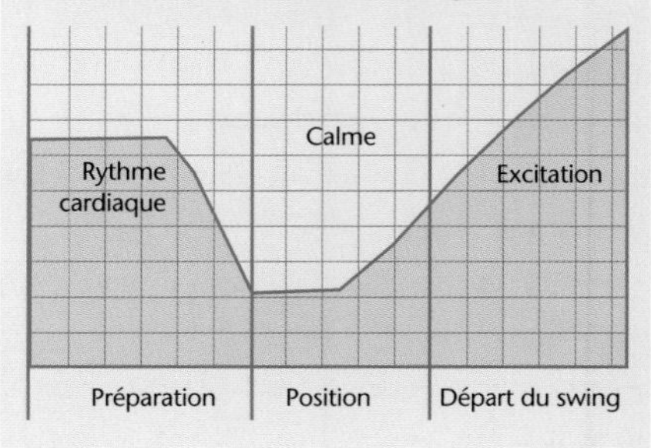

conséquences possibles. Recevez les stimulations venant de l'objectif. Occupez-vous l'esprit en vérifiant la direction du vent, la distance, l'emplacement des obstacles, etc.

Pour créer un flux de signaux "Partez", il faut rassembler assez d'informations pour sélectionner le coup dont vous êtes capable, afin que lorsque votre subconscient révise le plan et le compare à vos capacités et faiblesses personnelles, il estime tout en ordre et donne l'autorisation de jouer.

On retrouve fréquemment cette question : "Pourquoi suis-je bon au practice et mauvais sur le parcours ?" L'une des réponses, c'est qu'il n'y a jamais de signal "Non" au practice alors que les architectes provoquent une série de "Non" sur le parcours, destinés à créer des perturbations mentales qui vont envahir la routine de préparation et le swing.

1 L'eau peut intimider visuellement et vous envoyer un signal "Non".

2 La hauteur de la lèvre du bunker crée une illusion d'optique, pour faire croire au joueur qu'il y a très peu d'espace sur le green pour y arrêter la balle. Résultat, un signal "Non".

3 Quand on regarde sous un autre angle, le joueur dispose de beaucoup de place sur le green. Bien que ce ne soit pas évident à première vue, la plupart des greens ont au moins 25 mètres de profondeur. Nous vous conseillons de reconnaître un parcours en partant du dernier green et en remontant jusqu'au départ du premier trou, afin d'enregistrer les perspectives correctes et de déjouer les illusions d'optique créées par les architectes.

Chapitre treize

L'entraînement

Les performances humaines sont gouvernées par des objectifs, c'est pourquoi il est important d'en avoir quand vous vous entraînez. Taper des balles sans intention particulière est non seulement une perte de temps, mais c'est aussi nocif pour votre jeu. Faute d'objectifs précis, l'esprit vagabonde, et vous pouvez parfaitement sortir du bon swing sans vous en rendre compte. Le vieil adage reste d'actualité : "L'entraînement ne rend pas parfait, seul un entraînement parfait rend parfait." On trouve quatre types d'entraînement :

1. L'échauffement,
2. Le travail fondamental,
3. Le jeu vers une cible,
4. "Comme sur le parcours".

Une séance d'entraînement peut englober ces quatre éléments ou être consacrée à un, deux ou trois aspects. La structure de votre travail dépend de vos besoins du moment mais, quel qu'en soit le contenu, vous devez avoir une idée précise et suivre votre plan de travail.

Tom Kite est un spécialiste des longues séances d'entraînement, qu'il ne considère pas comme une corvée. Perfectionner sa technique, y compris au putting, a fait de lui l'un des joueurs les plus riches de l'histoire.

1. L'échauffement

Toutes les séances d'entraînement, y compris au petit jeu, doivent commencer par un échauffement, dont le but est de faire circuler le sang dans les muscles. Une routine d'échauffement vous place dans l'ambiance de ce qui va suivre, elle vous permet d'écarter les préoccupations extra-golfiques et de pouvoir vous concentrer sur votre travail. Vous devrez certainement personnaliser votre échauffement en fonction de votre force et de votre souplesse, mais il doit comprendre trois étapes :

- Un programme d'étirement des gros muscles.
- Une série continue de swings sans balle, où le club est constamment en mouvement.
- Une séance d'une dizaine de balles, en commençant par des demi-swings et en finissant par un plein swing.

1 Au début de chaque séance, assouplissez vos muscles par quelques exercices d'étirement. Concentrez-vous sur la rotation, en commençant doucement et en travaillant au même rythme que votre swing.

2 Pour que votre mouvement soit bâti sur de solides fondations, l'entraînement sera basé sur le grip, la posture, la position de la balle, l'orientation et l'alignement. 80 pour cent des erreurs de swing provenant d'une position incorrecte à l'adresse, nous vous conseillons de disposer des clubs au sol pour travailler avec un alignement correct.

Si vous allez jouer sur le parcours, arrivez en avance pour pouvoir taper quelques balles, mais attention à ne pas transformer cette séance d'échauffement en révision générale du swing. Avant d'aller sur le parcours, ne cherchez pas votre swing. La meilleure façon de se préparer est de s'étirer, et de chercher un bon contact de balle.

Comme il n'y a rien de plus déprimant que de faire des grattes avec ses premières balles d'échauffement, placez-les sur un tee pour ne pas être distrait par la position de la balle. Et comme la sensation de taper des balles bien centrées programme le cerveau, votre objectif principal en vous échauffant va être de bien contacter la balle sans souci de la direction. Comme nous l'avons vu dans le chapitre sur le jeu intérieur, l'esprit devient confus face à des frappes excentrées, et le signal "Non" n'est pas loin. En revanche, des frappes bien franches produisent un flux de "Allez-y", ce qui convient très exactement avant d'aller au départ du 1.

2. Les fondamentaux

Tous les golfeurs devraient travailler leurs fondamentaux. Les débutants doivent les travailler un par un, les joueurs moyens doivent les intégrer dans un ensemble cohérent, les bons joueurs doivent fignoler et s'assurer qu'aucune scorie ne s'est glissée dans leur swing. C'est au practice, par vous-même ou sous l'œil d'un professeur compétent, que vous pouvez livrer les éléments de votre swing à un examen attentif. Mais souvenez-vous bien qu'en opérant cet

Routine de préparation *suite*

En vous entraînant vers une cible, faites chaque fois votre routine de préparation, en vous reculant derrière la balle pour bien distinguer la ligne de jeu.

Quand il se met à pleuvoir, ne vous précipitez pas au club-house. Mettez votre tenue de pluie et habituez-vous aux conditions de jeu plus difficiles, aux grips humides et aux vêtements plus encombrants.

examen pièce par pièce, vous ne devez pas vous occuper du vol de la balle, mais de la qualité du travail sur les fondamentaux.

3. Jouer vers une cible

La troisième partie de l'entraînement consiste à viser une cible, en vous concentrant sur cet objectif. Pour chaque coup, respectez votre routine de préparation, comme sur le parcours, et utilisez votre imagination pour animer cette séance. C'est le principal chaînon qui va relier votre entraînement au jeu sur le parcours.

Sur chaque coup, changez de cible pour que l'opération soit réaliste. Visez une cible à gauche, puis au milieu, puis à droite du practice. Changez de club si nécessaire et ne pensez pas à votre swing en tapant vos balles. Au cours de cette séance, c'est la trajectoire de balle qui va vous informer, et vous imposer des réglages. Si vous tapez vraiment mal, oubliez les cibles et revenez à votre travail fondamental. Et pour bien séparer les deux types de practice, dites-vous clairement que vous en changez.

En règle générale, quand vous jouez vers une cible, ne pensez pas au swing, et quand vous travaillez le swing, ne pensez pas aux cibles.

4. Comme sur le parcours

On dit que la plus longue distance au golf est celle qui sépare le practice du départ. En route, il semble que quelque chose se passe dans le swing, car l'on voit souvent des joueurs taper magnifiquement au practice et mal jouer sur le parcours. Comme nous l'avons vu dans le chapitre sur le jeu intérieur, on ne perçoit aucun signal négatif au

practice, alors qu'il y en a beaucoup sur le parcours.

Autre explication : sur le parcours, on a une seule chance avec chaque balle, et votre cerveau le sait parfaitement. Pourtant, la plupart des golfeurs se donnent de multiples chances au practice en tapant des dizaines de balles avec le même club. Nous vous suggérons de consacrer la majeure partie de votre entraînement à vous habituer à la dure réalité "une balle-une chance". Autrement dit, faites comme sur le parcours.

En utilisant votre imagination pour dessiner un parcours virtuel sur le practice, vous pouvez très bien faire 18 trous, en effectuant chaque fois la même routine de préparation, en tapant les coups requis pour la situation que vous avez choisie. D'abord, amenez votre sac près de vous, et pas un ou deux clubs comme d'habitude. Le trou que vous allez "jouer" doit avoir une longueur déterminée. Ce peut être un trou que vous connaissez bien, ou un autre que vous inventez.

Un trou virtuel

Disons qu'il s'agit d'un par 4 de 360 mètres en léger dog-leg à droite. Prenez le driver et essayez de le jouer en fade. Admettons qu'il soit bien tapé, mais un peu trop à droite dans le petit rough. Il vous reste 140 mètres jusqu'au green, mais il faut faire une balle haute pour survoler les arbres.

Vous prenez fer sept, la balle est réussie, mais reste un peu courte du green. Vous faites un pitch d'une vingtaine de mètres, et vous sauvez le par. Imaginez ensuite que le trou suivant est un par 5 de 500 mètres, toujours en dog-leg droit, mais avec un lac sur la droite du drive... S'entraîner ainsi est facile, et c'est une manière agréable de faire 18 trous sans bouger.

Avec une balle en montée, et reposant sur un gazon très peu fourni, Corey Pavin doit procéder à quelques ajustements, comme nous l'avons vu dans le chapitre des situations délicates. Il peut s'adapter rapidement, car il s'est longuement entraîné dans toutes les situations possibles.

Adaptez-vous aux conditions

Apprenez à vous adapter aux circonstances de jeu. Sauf s'il y a de l'orage, la prochaine fois qu'il pleuvra un peu, ne vous pressez pas de rentrer au sec. Mettez votre tenue de pluie, et continuez à jouer pour vous habituer à ces vêtements, aux mains mouillées, aux conditions plus difficiles. Lors de votre première compétition sous la pluie, vous ne serez pas surpris.

Exercice
en losange

Le travail de l'architecte est de rendre le golf excitant, c'est pourquoi il propose une série de défis qui obligent à savoir faire tourner la balle à gauche, ou à droite, ou à aller droit. Pour améliorer votre virtuosité, voici le test du losange.

Mettez la balle sur un tee et placez trois autres balles en triangle à 60 centimètres devant elle, la première sur la ligne de jeu, les deux autres de chaque côté. Votre objectif est de taper des séries de trois balles. Une qui part au-dessus de la balle de droite et revient vers l'objectif, une seconde qui part au-dessus de la balle de gauche et revient vers l'objectif, une troisième qui passe tout droit. Quand vous pourrez réussir chaque série, vous aurez droit au titre de manieur de balles.

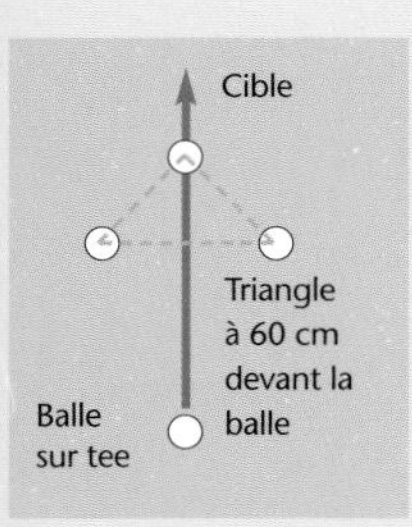

Routine de préparation *suite*

Travailler le petit jeu

D'abord, un petit mot sur l'entraînement au petit jeu. Comme nous l'avons dit, 64 pour cent des coups de golf se jouant à moins de cent mètres du green, le bon sens devrait nous imposer de nous entraîner beaucoup au pitching, au chipping, au putting et dans les bunkers. Cependant, la proportion du temps consacré varie selon les besoins.

Une étude du Dr Lou Riccio montre que, pour un golfeur amateur, le score dépend avant tout du nombre de greens pris en régulation. Statistiquement, chaque green touché (en deux sur les par 4, en trois sur les par 5) retire deux points de votre score moyen. Par exemple, si vous ne touchez aucun green, vous jouerez autour de 95 et plus. Si vous touchez cinq greens, 85 environ. Dix greens, environ 75.

Le second paramètre est un indice appelé "Capacité à maîtriser la distance". Il est relié à la statistique des greens en régulation, parce que vous devez driver assez loin pour vous donner une chance raisonnable de toucher ensuite le

Pour mieux jouer, faites vos comptes

	1	2	3	4	5	6	7	8	9	10	11	12	13	14	15	16	17	18	Total
Fairway																			
Green																			
Fer																			
Distance																			
Putts																			
Score																			

Utilisez ce tableau pour enregistrer vos performances sur le parcours. Sur chaque trou, faites un croix si votre balle est arrivée sur le fairway et/ou en régulation sur le green. Notez quel fer vous avez joué pour le green, et si votre balle a touché le green. En ce cas, notez la distance approximative de la balle au drapeau. Dans la dernière colonne, totalisez vos comptes sur 18 trous et vous saurez vite où vous devez vous améliorer. Dans la colonne Fers, entourez avec quels fers vous avez manqué le green et entraînez-vous avec ces clubs. Cerclez les "3 putts", notez la longueur du premier putt, et entraînez-vous à cette distance. Regardez trou par trou, et déterminez ce qui vous a aidé pour un bon score et trahi pour un mauvais. La plupart des réponses à vos questions sont ici.

green. De manière surprenante, le putting vient quasiment en dernier dans la prévision du score. Comme tous les golfeurs qui tiennent les comptes de leurs scores, vous pouvez très bien prendre entre 30 et 40 putts mais jouer entre 75 et 90 suivant la façon dont vous avez drivé, joué vos fers et plus ou moins bien approché. Pour le joueur moyen, le nombre de putts n'est pas un élément déterminant pour le score. Rentrer un putt de vingt mètres pour faire 8 ne rapporte qu'un coup, mais faire 8 sur un par 4 vous en coûte quatre.

Votre jeu en général sera fonction de la somme des différentes parties de votre jeu. C'est pourquoi vous devez vous entraîner à la fois sur vos points forts et vos points faibles. Quelle que soit la qualité de votre petit jeu, si vous ne prenez pas de greens en régulation, vous ne ferez pas de scores digne de vous. Et si vous avez uniquement un bon grand jeu, vous avez tout intérêt à travailler le petit jeu...

Attention

Quand vous jouez bien, vous avez l'impression que c'est pour toujours. Quand vous jouez mal, vous avez le même sentiment. C'est tout faux, seul l'entraînement vous permettra de faire durer plus longtemps les bonnes phases.

Au practice

- Jouez toutes vos balles sur un tee.
- Placez des clubs au sol pour vous guider.
- Quand vous avez fait ce que vous vouliez, arrêtez la séance. Toutes les 45 minutes, faites une pause.
- Buvez beaucoup d'eau (30 cl toutes les heures).
- Établissez un plan de travail avant chaque séance.
- Prenez des notes.
- Ne tapez pas trop quand le vent est latéral.
- Ne laissez pas les autres vous distraire, vous êtes là pour travailler.
- Si vous tapez mal, revenez à la première étape, ou arrêtez.
- Si vous n'y arrivez pas tout seul, allez voir un bon professeur.
- N'écoutez pas ceux qui n'ont que deux points de handicap de moins que vous, et surtout pas ceux qui ont deux de plus.

L'entraînement mental

Le 17 du TPC à Sawgrass est entièrement entouré d'eau, et c'est l'un des trous les plus intimidants du Circuit américain, bien qu'il soit plutôt court. Les grands joueurs tel que Greg Norman se préparent à de tels défis en jouant mentalement le trou avant même d'aller sur le parcours.

L'entraînement ne se fait pas seulement au practice. L'une des meilleures façons de travailler votre jeu, c'est en dehors du parcours, en mettant en œuvre une relaxation complète du corps et votre imagination. C'était une des techniques favorites des athlètes de l'Europe de l'Est pour se préparer aux compétitions telles que les Jeux olympiques. Vous pourrez facilement apprendre à vous relaxer complètement et imaginer faire un parcours trou par trou.

Ce type d'entraînement mental est une bonne façon de rester en éveil, surtout quand il fait trop mauvais dehors. La première étape, la relaxation, a été popularisée par Herbert Benson, spécialiste du cœur à Harvard. Dans un de ses livres, il décrit la capacité de ses patients à ralentir leur tension artérielle en utilisant des méthodes simples et efficaces, que vous pouvez presque appliquer telles quelles pour améliorer votre jeu.

1. Trouvez un endroit tranquille. Asseyez-vous contre un mur avec les jambes pliées, la colonne vertébrale droite. Il est également conseillé de mettre un casque, pour pouvoir isoler plus facilement le bruit de votre respiration, ce qui est très important ici.

2. Inspirez par les narines afin de remplir d'air votre estomac. Continuez à respirer pour remplir vos poumons. Cette méthode permet un échange complet qui va oxygéner le sang et chasser le dioxyde de carbone.

Une fois votre corps aéré par cette technique de bas en haut (d'abord l'estomac, puis les poumons), chassez l'air par la bouche en contractant les muscles de l'estomac. Placez la main sur l'abdomen pour sentir qu'il se remplit à l'inspiration et se contracte à l'expiration. Une fois que vous avez pris le rythme, détendez-vous en vous concentrant exclusivement sur le son de votre respiration.

3. Recommencez jusqu'à ce que vous soyez en état de relaxation complète. Au début, il vous faudra un quart d'heure pour provoquer une réaction relaxante, mais vous pourrez bientôt le faire en moins d'une minute.

4. À présent, il est temps de "jouer au golf". Disons que vous avez besoin de vous entraîner au driving. Imaginez-vous à l'adresse devant la balle. Vous devez tout voir, tout sentir, tout entendre : la solidité du stance, la beauté du backswing, la puissance contrôlée à la descente, le contact solide sur la balle, son vol, et bien sûr, l'endroit où elle s'arrête. Plus ces images seront précises, plus votre entraînement mental sera efficace.

Après cette séance de "practice", allez donc "jouer quelques trous"... sans bouger de chez vous bien sûr. Quelques-uns des plus grands joueurs comme Ben Hogan, Jack Nicklaus ou Greg Norman ont utilisé des techniques mentales pour optimiser leurs performances.

John Cook et son caddie se concentrent pour visualiser le putt qui entre dans le trou.

Chapitre quatorze

Règles du jeu

Même la puissance d'un John Daly n'est pas toujours suffisante. Quand la balle repose dans un endroit impossible, il est prudent de prendre une pénalité et de jouer ensuite en lieu sûr.

Rien ne vous empêche de jouer sur le parcours sans tenir compte des règles de golf, sans compter vos coups, pénalités et balles perdues, en prenant des mulligans ou en remettant des balles, et vous pouvez tout aussi bien marquer 4 sur la carte de scores alors que vous avez fait 7. Mais ce n'est pas du golf, même si cela y ressemble. Si vous voulez apprendre le jeu de golf, vous devez non seulement savoir taper la balle, mais aussi connaître les règles qui en définissent la nature.

Les principales règles

Le golf est gouverné par des règles universelles définies conjointement par le Royal and Ancient Golf Club de Saint Andrews et l'United States Golf Association. Le golf est un jeu où l'on est en même temps son propre arbitre, il n'est donc pas mauvais de s'attarder un peu sur les règles et procédures principales.

Match et stroke-play

Il existe deux catégories de compétitions, le stroke-play (connu aussi sous le nom de medal-play) et le match-play. En stroke-play, on compte tous les coups et celui qui en fait le moins est vainqueur. En match-play, on compte les trous gagnés par l'un ou l'autre des adversaires. Chaque trou est gagné, égalisé ou perdu, selon le score réalisé sur le trou, mais peu importe celui-ci du moment qu'il est inférieur à l'autre. Les règles et pénalités peuvent différer selon qu'il s'agit de stroke-play ou de match-play, c'est pourquoi il est fort utile de les lire une fois par an, et aussi d'avoir un recueil de ces règles dans son sac. Voici les principales.

On joue la balle où elle se trouve

En règle générale, on fait avancer la balle exclusivement au moyen d'un club. Celle-ci peut-être marquée et relevée une fois qu'elle repose sur le green, parfois aussi en d'autres circonstances précises, mais on joue la balle où elle se trouve la plupart du temps. Si vous bougez la balle accidentellement, vous prenez un coup de pénalité, sauf sur le départ où vous pouvez la replacer sur le tee. Quand vous faites un swing et que vous ratez la balle (c'est l'air-shot), vous comptez également un coup.

Au départ

Selon les règles de golf, l'aire de départ autorisé est constituée d'un rectangle formé sur l'avant par une ligne imaginaire rejoignant les deux boules de départ. Les deux côtés s'étendent sur une profondeur de deux clubs (vous mesurez avec le club que vous voulez). Le fond du rectangle est une ligne parallèle à la première (voir schéma). Vous avez le droit de poser la balle où vous voulez à l'intérieur de ce rectangle, y compris sur ces lignes, mais vous n'êtes pas obligé d'avoir les pieds à l'intérieur.

Connaître les limites autorisées de l'aire de départ vous permet de choisir le meilleur emplacement pour définir votre stratégie.

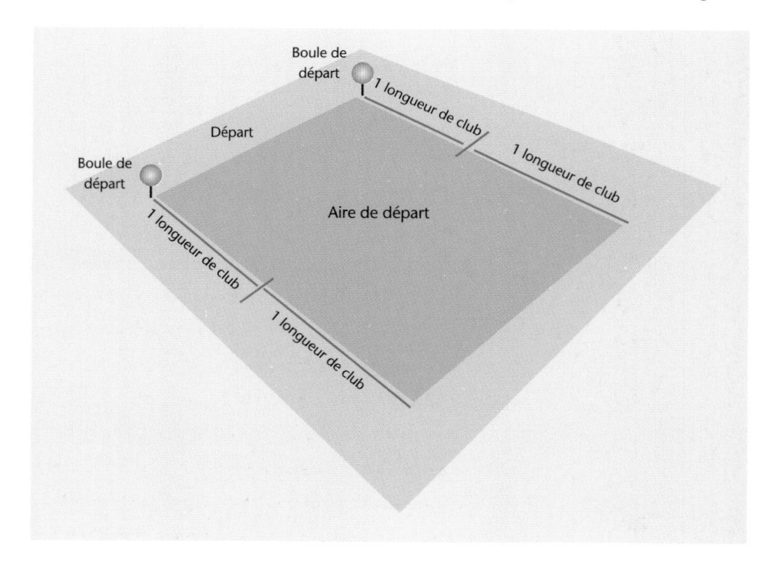

Les principales règles *suite*

L'ordre de jeu

Au départ, il est déterminé par ordre de handicap ou par tirage au sort. Ensuite, c'est "l'honneur" qui en décide : le meilleur score joue en premier, puis le suivant, etc. Si vous faites le même score, c'est l'ordre du départ précédent qui sera respecté. Après avoir joué le départ, celui qui est le plus éloigné du trou joue le premier.

Une fois la balle partie du départ, elle est en jeu, et vous ne pouvez rien faire qui améliore la situation de votre balle ou votre mouvement, comme arracher ou casser ce qui est fixé ou planté. Vous avez uniquement le droit d'enlever des "détritus", tels que les cailloux, les branches mortes et les feuilles, sauf à l'intérieur d'un obstacle, où seuls les objets non naturels peuvent être retirés : papiers, cigarettes, bouteilles, etc.

Hors-limites

Les limites d'un terrain de golf sont normalement définies par des barrières ou des piquets marqués de peinture blanche. Quand la balle est au-delà de cette frontière, elle est dite "hors-limites". Si vous y expédiez votre balle, vous devez en dropper une autre à l'endroit d'où vous avez joué, et compter un coup de pénalité en plus des deux coups que vous aurez ainsi tapé.

La manière la plus facile, c'est de compter le score de votre deuxième balle et d'ajouter deux coups. Par exemple, si vous envoyez votre drive hors-limites et que vous en tapez une autre avec laquelle vous jouez quatre coups, votre score définitif sera de six coups. C'est un peu plus compliqué lorsque c'est le deuxième coup que vous envoyez hors-limites. Comme vous devez compter tous vos coups (sauf ceux qui ont été tapés avec une balle provisoire), vous avez un coup du départ, quatre coups ensuite avec la deuxième balle, total 5. Plus une balle dehors et une pénalité, égale 7. On suit la même procédure pour une balle perdue sur le parcours, en dehors d'un obstacle d'eau.

Balle perdue

Par définition, une balle perdue est une balle que l'on ne retrouve pas ou que l'on ne peut pas identifier comme étant sa propre balle, c'est pourquoi il est bon de dessiner une marque distinctive sur votre balle (initiales, un point de couleur, etc.), si d'aventure vous trouvez deux balles de même marque et même numéro.

Balle provisoire

Quand vous n'êtes pas certain que votre balle soit hors-limites, ou de pouvoir la retrouver, vous avez le droit de jouer une balle provisoire du même endroit avant d'aller chercher la première (mais déclarez-la "provisoire" avant de jouer). Si vous ne retrouvez pas la première balle ou qu'elle soit hors-limites, la balle provisoire devient la balle en jeu et vous continuez avec un point de pénalité supplémentaire. Si votre première balle était restée dans les limites du terrain, vous ramassez la balle provisoire sans compter les coups tapés avec elle.

Les obstacles

Ils comprennent les obstacles d'eau délimités, comme les mares, fossés, rivières (qu'ils soient ou non remplis d'eau) et les bunkers de sable. Quand votre balle repose dans un obstacle, vous ne pouvez toucher avec le club ni le sol, ni les détritus naturels, le sable ou l'eau tant que vous n'avez pas commencé la descente de votre mouvement.

Obstacles d'eau

Les limites d'un obstacle d'eau sont définies par des piquets jaunes. Quand vous envoyez la balle dans un tel obstacle, vous avez trois options :

1. Jouer la balle où elle se trouve ou encore, avec une pénalité d'un coup :
2. Dropper une balle derrière l'obstacle sur une ligne allant du trou à l'endroit où votre balle est entrée.
3. Rejouer une balle de l'endroit où vous aviez joué en premier lieu. Si c'est du départ, vous avez le droit de la placer sur un tee.

Obstacles d'eau latéraux

Ils sont définis par des piquets rouges. En général, ces obstacles sont parallèles au trou que vous jouez. Vous pouvez utiliser les trois options précédentes, plus deux autres.

1. Vous pouvez dropper une balle à moins de deux longueurs de club de l'endroit où votre balle est entrée.
2. Vous pouvez dropper une balle à moins de deux longueurs de club de l'autre côté de l'obstacle, à hauteur de l'endroit où votre balle est entrée.

Balle injouable

Vous retrouverez parfois votre balle dans un endroit où vous ne pouvez pas jouer, par exemple au milieu d'un buisson ou dans les racines d'un arbre. Vous pouvez déclarer votre balle injouable n'importe où sur le parcours, sauf si elle est dans un obstacle d'eau. Vous avez alors trois options, avec un point de pénalité supplémentaire.

1. Jouer une deuxième balle depuis l'endroit où vous aviez joué la première, ce qui vous fait deux coups plus un de pénalité.
2. Dropper une balle à deux longueurs de l'endroit où repose la balle, sans vous rapprocher du trou, et ajouter un coup de pénalité. Soit un total de deux coups avant de jouer.
3. Dropper une balle dans le prolongement d'une ligne partant du drapeau et passant par l'emplacement de votre balle injouable, en reculant autant que vous le souhaitez, avec un coup de pénalité. Soit deux coups au total avant de jouer.

Lorsqu'une obstruction temporaire vous gêne pour jouer un coup, vous avez le droit de dégager la balle sans pénalité.

Les bunkers

Ils sont considérés comme des obstacles et vous n'avez pas le droit de toucher le sol, soit à l'adresse, soit en montant le club.

Les installations électriques ou les installations d'arrosage à l'intérieur des limites du terrain sont considérées comme des obstructions inamovibles dont vous pouvez dégager votre balle.

Les principales règles *suite*

Attention : si vous utilisez les options 2 et 3 dans un bunker, vous devez dropper dans le bunker.

Dropper une balle

- Lorsque la balle est injouable à cause d'une obstruction artificielle telle qu'une bouche d'arrosage qui interfère avec votre swing, ou avec votre stance, vous pouvez vous dégager à un seul club de distance, sans pénalité.
- Lorsque vous vous dégagez d'un obstacle d'eau latéral, d'une obstruction, d'un terrain en réparation, d'eau fortuite ou autre cas exceptionnels, les règles vous imposent une certaine procédure.

1 En vous dégageant, placez un tee à la limite extérieure de la zone de drop.

La procédure

1. Marquez la position de la balle avec un tee.
2. Marquez avec un autre tee l'endroit qui vous donne un dégagement complet pour le stance et le swing ou l'endroit où la balle a franchi pour la dernière fois les limites d'un obstacle.
3. De là, prenez la longueur d'un club, ou de deux si vous aviez une pénalité, et marquez cette limite avec un troisième tee.
4. Tenez-vous droit, tenez la balle à hauteur de l'épaule et laissez-la tomber. Elle doit s'immobiliser hors de la zone d'où vous vous êtes dégagé. Si elle roule dans l'obstacle, sur le green ou en dehors d'une limite de deux clubs à partir du point où elle a touché le sol, redroppez. Et si elle ressort encore

2 Tenez la balle à hauteur de l'épaule et laissez-la tomber à l'intérieur de la limite fixée.

des limites, placez la balle à l'endroit où elle vient de toucher le sol.

Sur le green

Sur le green, on peut marquer, relever et nettoyer la balle. Placez un marque-balle derrière la balle, par rapport au trou. Si votre marque est sur la ligne de putt d'un autre joueur, déplacez-la en utilisant la tête de putter comme instrument de mesure. Et pensez bien à remettre votre marque en place !

Le drapeau

Quelqu'un peut tenir le drapeau pendant que vous jouez, que votre balle soit ou non sur le green, mais il doit être retiré pendant que la balle roule pour éviter une pénalité de deux coups si d'aventure vous le touchez. Quand la balle est à l'extérieur du green, il n'y a pas de pénalité si vous touchez le drapeau, si personne ne l'a pris en charge.

Sur le green, on ne peut pas toucher sa ligne de putt sauf pour aplanir les pitchs ou enlever des détritus. On ne peut pas réparer les marques de clous, ni tester le green en faisant rouler une balle ou en éprouvant la surface. Si la balle est sur un autre green que le "vôtre", vous devez dropper votre balle en dehors, sans pénalité.

En résumé

Ce sont les règles principales que vous devez connaître en commençant le golf. Les règles permettent à chacun de jouer sans avoir aucun avantage sur son voisin. Tous les joueurs sont égaux devant les règles de golf, partout dans le monde. Seul leur talent et les incertitudes du jeu les séparent.

Ce qu'il faut retenir sur les règles de golf

1. Si vous droppez une balle avec une pénalité, vous pouvez dropper à deux clubs. Si le drop est "gratuit", vous ne droppez qu'à un seul club.

2. Identifiez votre balle d'une manière ou d'une autre. Avant chaque coup, assurez-vous qu'il s'agit bien de votre balle, car il y a des pénalités quand on ne joue pas sa propre balle.

3. Certaines règles sont différentes en match-play et en stroke-play.

4. Marquez et nettoyez toujours votre balle quand elle se trouve sur le green.

5. Avant de relever votre balle pour un drop, marquez toujours son emplacement avec un tee, et laissez-le au sol tant que vous n'avez pas joué.

6. Vous avez trois options si la balle est dans un obstacle d'eau "normal", et cinq dans un obstacle d'eau latéral.

7. Si vous n'êtes pas certain de bien appliquer une règle ou une procédure, jouez une autre balle parallèlement à la première et demandez au comité de l'épreuve quel score compter, avant de signer votre carte.

8. On ne se rapproche jamais du trou en droppant ou en plaçant la balle.

9. Quand vous vous donnez une pénalité, annoncez-le immédiatement.

10. Ne touchez pas votre ligne de putt sauf pour placer une marque de balle ou pour retirer des détritus et autres objets artificiels.

11. Si votre balle est dans une situation instable telle qu'elle risque de bouger si vous posez votre club au sol (vous auriez alors une pénalité), maintenez la tête de club au-dessus du sol. Selon les règles (sauf dans un obstacle), vous êtes présumé ne pas être à l'adresse tant que le club ne repose pas sur le sol.

12. Respectez la règle première du golf : "on joue la balle où elle se trouve". Dans une situation non prévue par les règles, usez de votre bon sens.

13. La seule règle à ajouter aux autres, c'est "n'oubliez pas de prendre plaisir au jeu".

Chapitre quinze

L'étiquette

Inscrire son nom sur le Claret Jug, le trophée du British Open, est un grand honneur. Parmi tous ses vainqueurs, Nick Price l'a visiblement apprécié à sa juste valeur en 1994.

Le golf est un jeu raffiné joué par des joueurs courtois dont le comportement doit démontrer le respect pour les traditions, l'histoire du jeu, les parcours et les autres golfeurs qui y évoluent. Il n'est pas étonnant que l'étiquette figure en tête des règles de golf, comme pour mieux démontrer que le comportement et la bonne éducation font partie intégrante du golf.

Ce qu'il faut savoir

Au départ

Sur l'aire de départ, tenez-vous toujours à distance de celui qui va jouer, ni derrière lui, ni en avant. Restez immobile pour ne pas le distraire. Montrez votre appréciation d'un bon coup. Un mauvais coup demande le silence ou la sympathie.

La partie devant vous

Il est non seulement dangereux mais aussi discourtois de jouer tant que les joueurs devant vous sont encore à portée de votre balle. Une bonne manière de l'éviter est de ne jamais jouer avant qu'ils soient vraiment éloignés de la zone où vous voulez envoyer la balle. Quand c'est à votre tour de jouer, du départ, du rough ou des arbres, comptez les joueurs de cette partie qui vous précède pour être sûr qu'il n'y a pas de risques.

Si vous pensez que votre balle risque d'arriver près de l'un d'eux, criez pour prévenir ("FORE" en langage international) et pour qu'ils prennent garde.

Crises et chuchotements

Le golf se joue dans le calme, et les distractions sont nuisibles au jeu. Évitez de crier et de jurer en règle générale, ou de parler pendant que les autres s'apprêtent à jouer, même à voix basse. Respecter un instant de silence n'est pas très difficile.

Le jeu lent

Dans l'intérêt de tous, jouez sans attendre. On ne vous demande pas de courir, mais ne traînez pas non plus. Vous pouvez éviter le jeu lent en vous préparant mentalement à votre coup avant même d'arriver à votre balle. Et vous serez un partenaire très recherché si vous ne faites pas plus d'un swing d'essai.

Balles perdues

Les balles de golf coûtent cher en argent et en points de pénalité, mais chercher les balles perdues peut créer des bouchons sur un parcours entier. D'après les règles, vous avez droit à cinq minutes de recherche mais, sauf en tournoi, vous serez mal vu si vous prenez chaque fois plus d'une minute ou deux. Pour limiter le nombre de balles perdues, tous les joueurs doivent regarder les balles des autres et repérer leur zone d'arrivée.

Voiturettes de golf

Quand on joue en voiture, on a tendance à se regrouper autour de celui qui va jouer. Sauf si votre balle est très en avant des autres, allez directement vers elle pour être prêt à jouer à votre tour. Si le conducteur vous dépose ou si vous devez laisser la voiture sur le chemin, prenez plusieurs clubs pour être sûr d'avoir le bon. Une fois que vous avez joué, remontez en voiture avec vos clubs, vous les remettrez dans le sac au prochain arrêt. Quand vous jouez avec un chariot,

Ce qu'il faut savoir *suite*

remettez le club tout en avançant. C'est une perte de temps de rester immobile à essayer de remettre les capuchons de club alors que la partie derrière vous attend.

Garez la voiture ou le chariot à la sortie du green (en direction du départ suivant) de manière à ne pas avoir à revenir devant le green après avoir putté, pendant que d'autres attendent. Quand vous avez fini le trou, allez immédiatement au départ suivant où vous compterez vos coups et marquerez votre score sur la carte.

Laissez passer

Quand vous avez perdu la distance avec la partie précédente, pour quelque raison que ce soit, faites signe à la partie suivante de vous dépasser par un grand signe du bras. Et quand vous repartez, essayez d'accélérer un peu et de ne pas perdre de vue la partie précédente.

Les obstacles

Ils font partie du jeu, considérez-les avec respect. Entrez dans un bunker par son côté le plus bas et le plus proche de la balle. Entrer par le point le plus haut peut être dangereux, et endommage le bord du bunker. Quittez celui-ci par le côté le plus bas et avant de partir, ratissez vos empreintes et enlevez les divots.

Réparations

Si vous jouez au golf, acceptez de réparer vos dégâts. Vous devez non seulement ratisser les bunkers mais aussi réparer vos divots – sur le fairway comme dans les roughs –, et relever les marques de balle sur les greens (les pitchs).

Avant de quitter un bunker, ratissez soigneusement les traces et empreintes de pas.

En voiture

Observez les règles de sécurité tout comme les règles de golf. Autant que possible, laissez les voitures sur les chemins et respectez les indications. Les golfs demandent souvent de respecter la règle des 90° où les voiturettes viennent sur le fairway à angle droit et repartent par le même chemin. Dans certains cas (herbe mouillée par exemple), les voiturettes sont même interdites hors des chemins. Dans tous les cas, évitez d'amener une voiturette près d'un green.

Sacs de golf

Si vous portez votre sac ou si vous utilisez un chariot, laissez-les loin du green et de ses abords.

Sur le green

Une fois sur le green, cherchez si votre balle a laissé une marque. Réparez-la immédiatement (même si ce n'est pas la vôtre !) avec un tee ou un relève-pitch. Ramenez l'herbe à niveau tout autour de l'impact et nivelez avec la semelle du putter. En retirant le drapeau, placez-le (sans le jeter au sol !) dans un endroit qui ne dérange personne. Avant de quitter le green, replacez le drapeau sans abîmer les bords du trou.

- Ne marchez pas sur la ligne de putt des autres joueurs, et ne traînez pas les pieds en marchant. Si vous repérez des traces de clous en quittant le green, aplanissez-les au passage.

En réparant les marques de balles (même si ce ne sont pas les vôtres), vous aiderez à maintenir les greens en bon état.

Gardez le sourire

Personne n'aime jouer avec un râleur ou un grognon. Il est évident que le golf fait ressortir des émotions primales allant sans cesse de la colère à la joie. Le grand champion Bobby Jones disait qu'il y avait des émotions que l'on ne pouvait pas supporter quand on avait un club en mains. C'était avant que la dignité remplace l'impétuosité comme arbitre de son comportement personnel, mettant un terme à la brève époque de ses jets de clubs.

Guy Lafoon, un professionnel assez anonyme des années 40, s'est rendu célèbre pour s'infliger des "punitions" pour ses mauvais coups. Il s'est mis plusieurs fois la tête en sang en se frappant avec un club, et s'est même un jour assommé d'un coup de putter pour avoir manqué un putt..

Bien que ce comportement extrême soit assez rare, il est bon de se souvenir que le golf est un jeu civilisé où l'humour est toujours une marque de classe.

Pour comprendre les différentes manières de compter en golf, il vous faut d'abord comprendre les bases du par et le principe du handicap.

Le par

Le par est un standard numérique basé sur la configuration d'un parcours. Un parcours conventionnel se compose de 18 trous, chacun d'eux étant de par 3, 4 ou 5. Sur chaque trou, le par est basé sur le nombre théorique de coups effectués par un joueur expert pour négocier la distance et faire ensuite deux putts une fois arrivé sur le green. Par exemple, sur un par 3 (les trous les plus courts), il faudra un coup à un bon joueur pour aller sur le green, plus deux putts. D'où le trois. Notez cependant que ce par est basé sur la performance d'un bon joueur et que les joueurs moyens ne feront pas régulièrement comme lui. Pour un par 4, on compte deux coups pour arriver au green. Et pour un par 5, trois coups pour parvenir au green.

Les scores individuels, et notamment en tournois professionnels, sont fréquemment exprimés par rapport au par. Si vous avez fait 80 coups au total pour un par 72, vous avez scoré 80, ou encore huit au-dessus du par. Si vous avez fait 70, vous avez joué deux en dessous du par. Sur un par 3, si vous avez manqué le green, puis fait une approche suivie de deux putts, vous faites un score de quatre (un au-dessus du par), que l'on appelle *bogey*. Deux au-dessus, c'est un double bogey, etc. Si vous faites deux coups au lieu de trois (un en dessous du par), c'est un *birdie*. Deux en dessous, c'est un *eagle*.

Handicap

Un peu comme aux courses hippiques, où l'on met plus ou moins de poids sur le dos d'un cheval, le système de handicap de golf a été conçu pour permettre à des joueurs de niveaux différents de jouer les uns contre les autres, en égalisant les chances au départ en leur donnant des points. Le handicap est basé sur le nombre de coups au-dessus du par que vous faites en moyenne. Bien que les formules de calcul puissent être complexes, le principe est le suivant : si vous faites des scores moyens de 82 pour un par 72, c'est-à-dire 10 au-dessus du par, votre handicap sera de 10. Lorsque vous jouez contre un joueur théoriquement meilleur que vous, il vous "donnera" un certain nombre de coups sur des trous déterminés. Et quand vous jouez contre quelqu'un moins bon que vous, c'est vous qui "rendrez" des points.

Ce système a été "perfectionné" en prenant en compte les difficultés d'un parcours par rapport aux autres parcours, chacun étant étalonné selon le "Slope System". En résumé, selon le parcours où vous jouez habituellement et un autre parcours, votre handicap de jeu peut changer. C'est ainsi que le handicap est peu à peu remplacé par la notion d'index, où le chiffre du handicap s'accompagne de décimales.

Formules de jeu

Parmi les très nombreuses formules individuelles ou en équipes, le stroke-play et le match-play sont les deux formules de base utilisées en tournois mais aussi dans les compétitions de clubs.

Stroke play

Celui qui fait le parcours avec moins de coups que les autres remporte la compétition. Dans une compétition où le handicap est pris en compte, votre score effectif est appelé score "brut", on déduit ensuite vos points de handicap et l'on obtient un score "net". Le joueur avec le meilleur score net gagne la compétition en net.

Voici comment fonctionnent les scores en net. Disons que les deux plus bas scores net sont de 70 et de 73. Le joueur avec un handicap 10 a fait un score brut de 83 (83 moins 10 = 73). Le joueur qui a 70 en net possède un handicap 20, son score brut était donc de 70 + 20 = 90. Bien que ce score de 90 soit plus élevé que le 83 brut de son concurrent, il gagne "en net".

Match play

C'est une compétition trou par trou entre deux joueurs ou deux équipes de deux joueurs. Chaque trou sera gagné, égalisé ou perdu. Pour gagner, le joueur ou l'équipe doivent gagner plus de trous que leur adversaire. Le match-play handicap est différent du stroke-play handicap, où l'on se contente d'enlever les points de handicap au score final. Chaque trou est hiérarchisé par rapport à sa difficulté, pas obligatoirement en rapport avec son numéro d'ordre sur le parcours. Le trou le plus difficile des 18 sera indiqué comme étant le premier où l'on rend un point et ainsi de suite pour tous les trous. On répartit ces "coups rendus" sur les neuf premiers et les neuf derniers trous pour que les coups de handicap soient égaux d'un côté et de l'autre. Par exemple, le 1 sera sur les 9 premiers trous et le 2 sur les 9 derniers, le 3 sur les neuf premiers, et ainsi de suite.

Avant un match, les joueurs comparent leurs handicaps, et le plus bas handicap va rendre des points à l'autre. Par exemple, un 10 de handicap devrait "rendre" dix coups à son adversaire de handicap 20, un coup sur chacun des dix trous les plus difficiles du parcours (ce ne sont pas forcément les dix premiers trous, rappelez-vous). Sur un des dix trous en question, si le joueur de handicap 20 fait 5 sur un trou et son adversaire 4, le trou est égalisé grâce au "coup rendu". Dans la pratique, la formule reste assez difficile à expliquer, mais vous saisissez l'idée.

Un match ne va pas forcément jusqu'au 18. Dès qu'un joueur a gagné plus de trous qu'il ne reste de trous à jouer, le match est terminé. S'il a déjà remporté cinq trous et qu'il en reste quatre à jouer, on dit qu'il a gagné 5 et 4.

Stableford

C'est une formule par coups, comme le stroke-play. Mais on compte différemment. On marque 2 points quand on fait le par sur un trou, 3 pour un birdie, 4 pour un eagle. En revanche, on marque 1 pour un bogey, 0 pour un double bogey ou pire. Autrement dit, peu importe que l'on fasse 6 ou 15 sur un par 4, on marque uniquement 0. Ce système permet de limiter les conséquences des catastrophes sur un trou, fréquentes chez les amateurs. Et bien sûr, il y a aussi des classements brut et net. Cette formule de jeu sert maintenant de base de calcul au nouveau système de handicap européen.

Chapitre seize

Apprendre à jouer au golf

Il y a de nombreuses façons d'apprendre à mieux jouer au golf. La première démarche consiste à se choisir un modèle personnel. Cela ne signifie pas seulement copier les attitudes et le mouvement de swing d'un grand joueur ou d'une grande joueuse, mais aussi décomposer le swing en différentes parties, trouver pour chacune d'elles un exemple parfait et le copier jusqu'à en faire une habitude.

La meilleure façon de procéder, c'est de prendre des leçons où l'on vous montre l'exemple à suivre. Vous enregistrez vos modèles et vous vous entraînez sur chaque élément du swing, jusqu'à acquérir un swing fonctionnel. Ensuite, il est temps de jouer au golf sur le terrain, ce qui veut dire apprendre comment gérer le parcours et, tout aussi important, comment vous gérer vous-même.

Cependant, notez bien que, même parfaitement mémorisé, le swing de golf reste un acte créatif en fonction des conditions du moment, qui ne sont jamais identiques. Même si l'on peut décomposer le swing en une succession d'éléments, on ne peut réduire le golf à une science. C'est un art. Et l'artiste, c'est vous.

L'enseignement du golf se fait de différentes manières. Vous apprendrez plus vite avec celle qui vous convient le mieux.

Jouer par imitation

Les êtres humains sont experts dans l'art d'imiter. Un jeune enfant observe attentivement comment réagit sa mère dans certaines situations et copie son comportement. Si une situation donnée se produit assez souvent, ce comportement devient une habitude. Apprendre est une combinaison de nature, de potentiel inné, et d'éducation par les expériences qui façonnent notre vie. La nature nous a tous donné un potentiel pour bien jouer au golf. La question est de savoir comment organiser nos expériences pour que notre apprentissage soit efficace et rapide : c'est la part d'éducation, celle que nous pouvons vraiment contrôler.

Dans un excellent livre, *Learning Golf*, Chuck Hogan a décrit ainsi le processus d'apprentissage : commencez par choisir un modèle pour un élément du swing que vous voulez apprendre, qui peut être le grip, le stance ou la position du club en haut du backswing. Puis imitez-en chaque détail. Une fois capable de le reproduire exactement, répétez cet élément jusqu'à ce qu'il devienne si enraciné en vous que vous le fassiez automatiquement. Alors, il fait durablement partie de votre mémoire et vous pouvez passer à l'élément suivant.

Apprendre le golf en utilisant une série de modèles précis est nettement plus facile si vous prenez un golfeur comme modèle. L'une des coachs d'université les plus respectées, Linda Vollstedt, encourage les joueurs à choisir des modèles pour accroître ce qu'elle estime être le point commun à tous les champions, la confiance en soi. Elle dit : "Il faut s'entraîner à acquérir la confiance en soi, les joueurs doivent penser aux qualités associées à la confiance en soi et s'entraîner à les retrouver." En premier lieu, ils doivent se choisir un modèle parce que, comme elle le fait remarquer, "ils devront imiter leur comportement". De même, elle conseille aux débutants de choisir un modèle pour leur swing, mais elle insiste pour que, chacun étant bâti différemment, avec un swing différent, ils choisissent un modèle qui leur ressemble, c'est-à-dire avec le même physique et les mêmes qualités physiques.

En apprenant les fondamentaux de la position, même le grip, choisissez un modèle à imiter.

Comment trouver le bon modèle

Peu de joueurs peuvent espérer réduire notablement leur handicap sans une aide quelconque d'un professionnel, en particulier s'ils commencent tard. Il n'est pas indispensable d'avoir un swing parfait, mais si l'on veut progresser, il faut maîtriser un certain nombre de concepts. Sans eux, le golf peut être un sport très difficile. Mais avec de bonnes bases, vous pouvez acquérir un swing répétitif qui donnera de bons résultats et vous conduira à faire de vrais progrès.

Certaines personnes progressent très vite avec des exercices qui leur donnent des sensations du swing.

Prendre des leçons

Les bons enseignants ont passé des années à concevoir les modèles appropriés à votre swing, mais encore faut-il trouver ces professeurs, et savoir comment "prendre une leçon"? Sachez que le cerveau apprend ce qui est mauvais aussi facilement que ce qui est bon, alors autant commencer par bien faire. Prendre une leçon est une expérience totalement interactive, où vous donnerez autant que vous apprendrez. Il ne faut pas seulement considérer le niveau technique de votre professeur, mais aussi distinguer si cet enseignant saura adapter ses leçons à votre manière d'apprendre. Il s'agit de votre propre apprentissage, et c'est à vous de lui faire savoir comment vous voulez que les choses se présentent.

Si vous préférez apprendre en étudiant chaque élément du swing, il vous faut un professeur qui entre dans les détails. Si ce n'est pas votre style et que vous préférez apprendre les concepts généraux de manière plus globale, votre professeur devra structurer votre apprentissage de cette manière.

Comme le dit Linda Vollstedt: "Si vous êtes néophyte, le plus important est d'être bien assorti à un professeur qui sait communiquer avec vous dans votre propre style. Le style de l'enseignement est très important au début. S'il vous convient bien et qu'il vous enseigne selon vos besoins, vous apprendrez rapidement."

Autrement dit, il est important de connaître votre meilleure façon d'apprendre, qu'elle soit visuelle, auditive ou liée à des sensations. Si vous

Les personnes "visuelles" améliorent leur connaissance du golf par l'observation.

êtes principalement visuel, cherchez un enseignant qui vous explique votre swing en vidéo et qui peut vous démontrer physiquement ce que vous devez répéter pour améliorer votre swing. Si vous êtes quelqu'un de plus auditif, il vous faut un véritable communicateur qui vous donne des instructions précises et les explique clairement. Si vous êtes un athlète qui a réussi dans plusieurs sports sans vraiment apprendre et qui n'aime pas les idées compliquées, trouvez un professeur qui vous expliquera comment vous devez sentir le swing, plutôt que de perdre votre temps avec des analyses verbales et des analyses vidéo. Un bon enseignant, attentif à bien comprendre le style d'apprentissage d'un élève, saura vous présenter ce qui est important de manière visuelle, auditive ou sensitive. C'est à vous de lui indiquer la bonne direction.

Pour être un bon élève, vous devez d'abord connaître votre personnalité et ensuite trouver l'enseignant qui lui convienne. Une fois que vous l'aurez trouvé, vous ferez des progrès beaucoup plus rapides. Trouver le bon professeur fait partie de l'apprentissage d'un meilleur golf.

Comment choisir un professeur

Comme pour choisir un professionnel de n'importe quel métier, vous devez vous assurer qu'il soit très qualifié. En Grande-Bretagne, aux États-Unis et dans certains pays d'Europe, la formation dépend d'associations de professionnels comme la PGA des États-Unis, où, après un apprentissage (souvent sur le terrain), les professeurs doivent se perfectionner pendant toute leur carrière. En France, il faut un brevet d'État pour enseigner un sport comme le golf, dont les moniteurs ont le premier degré et les professeurs le deuxième degré, décernés par la FFG, qui assure la formation par son école fédérale. Le meilleur moyen pour choisir consiste néanmoins à interroger des golfeurs (qui progressent bien) sur leurs professeurs et à les regarder travailler.

Homme *ou femme ?*

Une enseignante convient-elle mieux à une femme ? Peu importe, il faut surtout choisir le professeur le plus qualifié, avec qui vous serez à l'aise. Vous avez le choix, car de plus en plus de femmes deviennent professeurs de golf.

Les enseignants masculins ont parfois considéré les femmes comme quantités négligeables, mais l'histoire nous apprend que beaucoup d'entre eux ont été attentifs aux joueuses : le regretté Harvey Penick, auteur du fameux *Petit Livre rouge*, a non seulement enseigné à des vedettes comme Tom Kite ou Ben Crenshaw, mais aussi à Kathy Whitworth, Mickey Wright ou Betsy Rawls.

Discutez avec le professeur

Essayez d'abord d'en savoir plus sur l'expérience du professeur. Depuis combien de temps enseigne-t-il (ou elle) ? Donne-t-il beaucoup de leçons ? A-t-il beaucoup d'expérience de votre propre niveau de jeu ? Enseigne-t-il une méthode particulière ? A-t-il beaucoup de femmes ou d'hommes comme élèves ? Peut-il s'adapter facilement à votre mode d'apprentissage ?

Si les réponses sont favorables, prenez une leçon. C'est après seulement que vous pourrez en planifier une série. Et n'hésitez pas à l'interroger sur votre avenir au golf, sur les étapes de la progression de votre swing. Fixez quelques objectifs avec lui, demandez-lui de vous indiquer comment vous allez travailler et ce que vous devez travailler seul pour progresser.

Ce qu'il faut attendre d'une leçon

L'enseignement de golf se dispense de différentes manières. La plus courante est la leçon individuelle, généralement d'une demi-heure ou une heure, où vous travaillez le swing au practice avec le professeur. En premier lieu, celui-ci va vous interroger sur vous et votre golf. Il (ou elle) vous demandera ensuite de taper quelques balles pour se faire une idée de vos tendances naturelles, de la qualité de votre

Répéter le mouvement correct à l'aide d'un matériel éducatif peut aider à voir et à ressentir comment doit travailler votre club. Votre professeur vous aidera à choisir les bons outils et vérifiera que vous les utilisez correctement.

grip, de votre position par rapport à l'objectif, de votre mouvement.

Comment être un bon élève

Une fois cette évaluation faite, vous saurez tous les deux quels sont les changements nécessaires pour progresser. Il peut y avoir deux ou trois problèmes distincts, mais vous devez fixer des priorités et soigner une chose à la fois. Pendant que vous travaillez ces changements, ne jugez pas votre performance d'après les trajectoires de la balle, mais sur le fait que vous avez ou non exécuté le mouvement correct. Cette attention à la qualité du travail effectué est la marque d'un bon élève. Si vous travaillez par exemple le démarrage, concentrez-vous uniquement sur celui-ci et ce que le professeur va en dire. Ne vous laissez pas influencer par la balle, car votre cerveau peut vous tromper. Supposons que vous ayez fait un démarrage parfait mais un mauvais coup. Votre professeur va juger votre démarrage : "Excellent, c'est exactement ce qu'il faut faire." Mais, de votre côté, vous allez vous dire : "Quel coup affreux !" Votre cerveau ne pourra pas savoir si c'était bien ou mal. Un élève confus est un mauvais élève.

Apprendre
le golf

Selon Linda Vollstedt, entraîneur de l'équipe de golf féminine de l'université d'Arizona State : "Quand talents et techniques arrivent au point où l'on acquiert une meilleure compréhension du swing de golf – importance du rythme, de l'équilibre et du tempo –, il est temps d'aller sur le parcours et d'apprendre à jouer au golf."

"Apprendre le golf ne consiste pas uniquement à taper des balles au practice, il faut aller sur le parcours pour apprendre à jouer. Beaucoup de professeurs n'enseignent pas à jouer au golf, ils apprennent à swinguer. Ma philosophie de l'enseignement est à l'opposé. J'ai le sentiment qu'une part importante de l'enseignement doit se faire sur le parcours, même avec un débutant, surtout lorsqu'il a appris à swinguer le club et à envoyer une balle. Il en apprendra davantage en trente minutes sur le parcours qu'en trois heures au practice."

Comment choisir un professeur *suite*

Prendre des leçons en groupe avec des amis peut être une bonne façon de débuter.

Leçons collectives

Quelques clubs et écoles de golf proposent des formules de découverte et des cours spécialisés sur divers aspects du jeu, par exemple le putting, ou encore le jeu dans les bunkers. Ces séances durent de une à trois heures, et débutent par une démonstration du professeur, suivie par un travail individuel. Selon l'importance du groupe, vous bénéficierez de plus ou moins d'attention personnelle. Pour les débutants, c'est une bonne façon de goûter à l'enseignement sans investir trop lourdement. Cette formule est également très bien adaptée aux joueurs plus expérimentés qui souhaitent perfectionner les bases de leur jeu. Mais elle n'est pas à conseiller aux meilleurs.

Si vous ne trouvez pas ce genre de séance dans les clubs de votre région, vous pouvez très bien organiser votre propre groupe. Commencez par définir le nombre de participants que vous pouvez réunir et le secteur du jeu que vous voulez particulièrement travailler. Contactez ensuite un professeur et réglez avec lui les détails de date, d'emploi du temps et de tarif. De nombreux joueurs estiment qu'il s'agit d'un excellent moyen de commencer à apprendre, parce qu'ils sont entre amis, avec un programme spécialement conçu pour eux.

Leçons de petit jeu

Essayez de consacrer au moins la moitié de vos leçons au petit jeu, en particulier au putting, qui représente 40 pour cent du jeu. Si la longueur n'est pas votre point fort, un bon petit jeu peut vous aider à compenser. Noubliez pas qu'un putt d'un mètre compte autant qu'un drive de 200 mètres. Prenez des leçons de petit jeu, ou divisez vos leçons en deux parties égales.

Leçons sur le parcours

Demandez à votre professeur de vous emmener prendre une leçon de jeu sur le parcours. L'objectif ne sera pas d'y travailler vos mécanismes mais votre gestion du parcours, le choix des clubs et des coups de golf, la façon de surmonter l'adversité. Pour que ce soit efficace, vous n'allez pas jouer un coup après l'autre, comme vous le faites avec des amis, mais vous aurez à faire face à différentes situations basées sur votre niveau technique. Il est impossible d'apprendre vraiment à jouer sur un practice, c'est pourquoi, une fois de bonnes bases acquises, il est bon que votre professeur vous emmène sur le terrain découvrir ce qu'est exactement le golf.

1 Si vous souhaitez réduire votre handicap, consacrez la moitié de votre temps de leçon à travailler votre petit jeu.

2 Sur le parcours, vous apprendrez la stratégie et la gestion du parcours.

Les stages de golf

Si vous souhaitez faire un stage de golf, ne considérez pas seulement son tarif, mais prêtez une attention particulière aux points suivants :

- Demandez qui enseigne effectivement. Y a-t-il un "grand nom " associé à ces stages ? Demandez dans quelle mesure il y participe effectivement.
- Demandez quel est le nombre d'élèves pour chaque enseignant. Si vous voulez que l'on s'intéresse sérieusement à vous, il ne doit pas y en avoir plus de quatre.
- Demandez des détails sur le déroulement du stage : combien de temps est réservé au petit jeu, s'il y a de l'enseignement sur le parcours, etc.
- Demandez si votre progression sera enregistrée en vidéo et si vous aurez une cassette en fin de stage.

Le nombre de joueurs par enseignant est important. Dans l'idéal, ils ne doivent pas être plus de 4.

Au PGA National, T.J. Tomasi organise des stages de gestion du parcours et de stratégie mentale.

Stages de parcours et de stratégie

Il existe davantage de stages de ce genre aux États-Unis qu'en Europe. Si vous êtes satisfait de votre frappe de balle, mais moins de vos scores, essayez de trouver des stages spécifiques. Vous y apprendrez à jouer au golf en profondeur, comme dans une très longue leçon. Le golf est un jeu où il faut penser, et de tels stages peuvent vous apprendre à mieux gérer votre jeu, vos choix de clubs et vos émotions sur le parcours.

En résumé

Quelle que soit la méthode d'enseignement choisie, soyez attentif à ne pas vous encombrer l'esprit de trop nombreuses théories différentes. Une fois votre professeur sélectionné, faites-lui confiance. Le golf s'apprend de la même manière que les autres sports. Si vous n'avez jamais fait de sport, comparez le processus d'apprentissage à celui d'autres activités, comme le piano, les échecs, le dessin ou le jardinage. Quel que soit votre talent, à moins que vous ne soyez un prodige, apprendre quelque chose de nouveau requiert un enseignement, de l'entraînement et une pratique en grandeur réelle. Le golf n'est pas différent, vous en tirerez ce que vous y aurez investi.

Le golf à *PGA National*

À l'académie de golf de PGA National par exemple, Mike Adams participe personnellement à chaque stage, ainsi que, très souvent, T.J. Tomasi. Il y a généralement trois élèves pour un instructeur. Les stages sont de trois jours, durant lesquels les élèves travaillent tous les éléments de base du golf : le plein swing, le putting, le chipping, le pitching, les coups en pente et les situations difficiles, le jeu dans les bunkers, ainsi que la gestion du parcours. Un programme de stratégie mentale pour apprendre à jouer est aussi dispensé. Une étude du plein swing avec Mike Adams est enregistrée sur cassette vidéo et donnée à chaque élève avec un programme de progression personnel.

Chapitre dix-sept

Le parcours et la stratégie

Le Champion Course de PGA National en Floride est un bon exemple des parcours d'architecture "moderne". Pour y briller, il faut affronter quantité de défis : le sable, les arbres, le rough, le vent... et beaucoup d'obstacles d'eau.

L'une des choses les plus fascinantes du golf, c'est le terrain de jeu. Au contraire de l'uniformité d'un stade de football ou des limites rigides d'un court de tennis, les parcours de golf présentent une infinité de dimensions et de formes. Ce sont parfois de véritables œuvres d'art, sculptées par un architecte et les caprices de la nature pour offrir aux joueurs un espace qu'aucun autre sport ne saurait égaler.

Un parcours peut être court et sévèrement gardé par des arbres et de l'eau, ou encore large et ouvert, avec de hauts roughs et des greens pervers. Il peut être en bord de mer, en montagne ou dans un désert. Chaque parcours propose des situations spécifiques qui obligent à adapter son talent et son sens stratégique au tracé de l'architecte. Pour dominer les innombrables variations que vous découvrirez, voici les dénominateurs communs à tous les parcours.

La notion de par

Un parcours de championnat comprend dix-huit trous différents, associant des par 3, des par 4 et des par 5, selon le nombre de coups qu'exécute normalement un excellent joueur, du départ jusqu'au trou.

Le par en régulation

Bien qu'il y ait différentes manières de "faire le par", voici la norme :

- Sur les par 3, les trous les plus courts, on envoie la balle sur le green en un seul coup.
- Sur les par 4, les trous de longueur moyenne, on envoie sa balle sur le fairway et de là, on envoie son deuxième coup sur le green.
- Sur les par 5, les trous les plus longs, on envoie son drive sur le fairway, puis son deuxième coup plus près du green, et enfin le troisième coup sur le green. Une fois sur un green, on compte deux putts pour obtenir un score égal au par du trou.

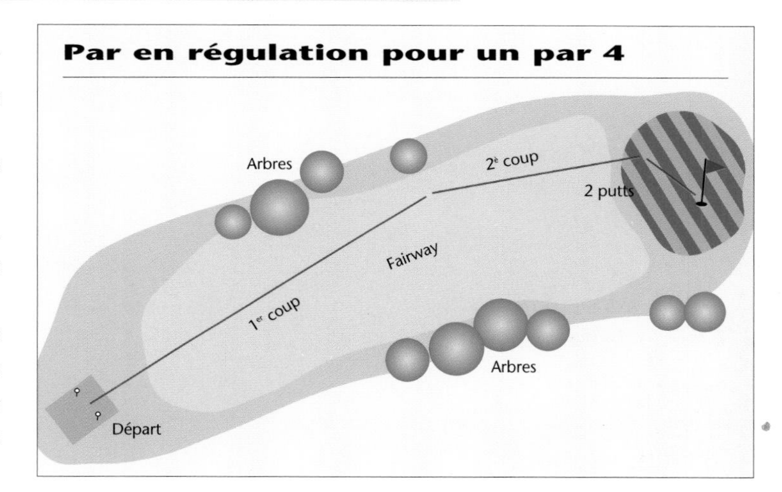

Sur un par 4, vous faites un par en régulation quand, après le drive, vous envoyez votre balle au deuxième coup sur le green et que vous faites deux putts pour la rentrer dans le trou.

Une architecture de golf masculine

Autrefois, les parcours de golf étaient souvent intimidants pour les femmes parce qu'ils étaient dessinés pour deux types de joueurs : les professionnels et les amateurs hommes. Les "départs dames" étaient généralement ajoutés par la suite, du moins quand il y en avait. Ils étaient souvent placés quelques mètres en avant des départs hommes, sans aucune considération de longueur des trous. Quand il devint normal de construire des départs spécifiques pour les dames, ils étaient mieux placés pour ce qui est de la distance, mais souvent décalés sur le côté, ce qui forçait les femmes à jouer dans des angles impossibles. Rees Jones, un architecte contemporain, déclare à ce sujet : "Sur les parcours d'autrefois, on ne réfléchissait pas à l'emplacement des départs avancés, et l'angle de drive était déjà un obstacle en soi."

Heureusement, le dessin des parcours a évolué et les bons architectes actuels accordent généralement beaucoup d'attention à l'emplacement stratégique de chaque aire de départ. Même la terminologie a changé. Jan Beljan (de Fazio Golf Course Designers) nous décrit ainsi la philosophie de ses collègues : "On ne les appelle plus départs dames parce que les départs sont neutres en regard du sexe et de l'âge." Les parcours modernes actuels proposent des départs avancés, des départs plus reculés, des départs normaux et des départs arrière, et l'on encourage les joueurs à choisir le départ le mieux adapté à leur puissance et à leur niveau de jeu. Les trous comprennent généralement de quatre à cinq plates-formes de départ, pour que chacun rencontre des défis à son niveau.

La notion de par *suite*

Ces exemples sont connus sous le nom de "par en régulation", mais comme il est fréquent de rater des coups, même les meilleurs joueurs du monde ont parfois du mal à faire le par.

Sauver le par

Même si vous manquez le fairway au drive ou le green au coup suivant, il vous est encore possible de sauver votre par. Par exemple, sur un par 4, vous envoyez votre balle dans les bois, de là, vous parvenez à sortir mais votre balle se retrouve à l'extérieur du green. Alors, vous pouvez faire ce que l'on appelle "approche-putt", en mettant votre coup de pitch à deux mètres du drapeau et en rentrant le putt. Bien que votre par n'ait pas été fait "en régulation", vous l'avez sauvé. Sur la carte de score, c'est toujours "combien" qui compte, et pas "comment". Peu importe la manière.

Mais vous pouvez également faire un score plus élevé, "au-dessus du par". Ou encore être en pleine forme et faire moins que le par, jouer "en dessous du par".

Si vous faites un coup de plus que le par, c'est ce que l'on appelle un *bogey*. Deux coups au-dessus, c'est *double bogey* et ainsi de suite. Après, cela devient une catastrophe, que l'on compte en compétition, mais que l'on s'empresse d'oublier dans une partie amicale. À l'inverse, si vous faites un coup de moins que le par, c'est un *birdie*, deux coups de moins, c'est un *eagle*, trois de moins, c'est un *albatros*. Et si votre coup de départ rentre directement dans le trou, c'est un *trou-en-un*. Ce genre d'événement rare se produit la plupart du temps sur un par 3, c'est en fait un eagle.

Sauvetage du par

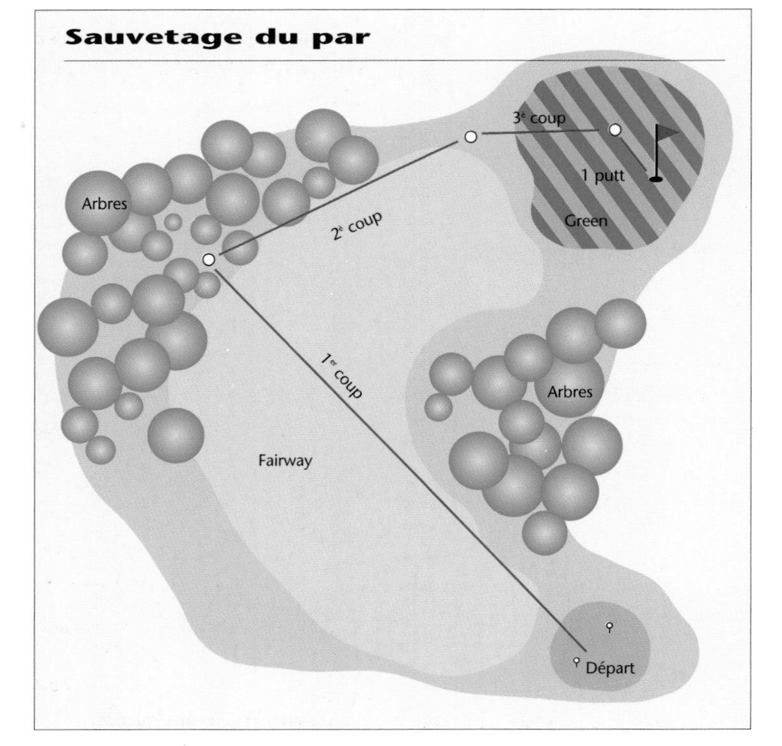

Il y a bien des manières de sauver le par sur un trou. Sur cet exemple, le coup de départ finit dans les bois, le deuxième coup reste court du green, le troisième s'approche du trou et vous rentrez le putt pour faire néanmoins un par 4.

Comment gérer son parcours

Selon Rees Jones, "la clarté est essentielle dans le golf d'aujourd'hui. Si un architecte dessine un trou qui aide le golfeur à déterminer ce qu'il doit faire, celui-ci a de meilleures chances de taper un bon coup et d'atteindre son objectif." C'est pourquoi il faut s'arrêter quelques instants au départ pour observer la forme du trou et ce que l'architecte a voulu créer. Chaque trou offre un chemin du départ jusqu'au green, matérialisée par le fairway, mais c'est rarement une ligne droite. Comme les échecs, le golf est un jeu stratégique et il faut penser un coup ou deux à l'avance pour décider d'un bon plan d'attaque.

Si le tracé d'un trou n'est pas évident sur un parcours que vous abordez pour la première fois, examinez le dessin du trou sur votre carte, sur le plan près du départ ou bien interrogez vos partenaires, s'ils le connaissent.

En arrivant au départ d'un trou, observez le dessin du trou sur le panneau généralement placé à proximité du départ arrière.

Connais-toi toi-même

Une bonne stratégie de jeu implique que vous connaissiez vos forces et vos faiblesses pour les adapter aux exigences du parcours. Dressez un inventaire vraiment lucide de votre forme du moment et jouez en conséquence. Plus vous connaissez vos capacités, plus vous pourrez vous adapter.

Par exemple, si vous êtes un bon joueur de bois de parcours, mais que vous n'êtes pas très performant avec le driver, jouez un bois trois ou cinq sur le départ quand il faut absolument rester sur le fairway. Si vous êtes bon avec vos wedges, mais pas très à l'aise dans les bunkers, jouez prudemment devant les bunkers de green et jouez ensuite un pitching wedge vers le drapeau. Nous ne vous demandons pas de vous contenter de vos faiblesses, mais vous devez jouer avec vos forces du jour. Prenez note de vos points faibles et travaillez-les à l'entraînement. Votre stratégie est simple : pour améliorer votre golf, entretenez vos points forts et travaillez à éliminer vos faiblesses.

Quand il y a des bunkers dangereux autour d'un green, évaluez votre niveau présent de jeu et établissez votre stratégie en conséquence.

Comment gérer son parcours *suite*

La stratégie au départ

Une fois le dessin du trou assimilé, observez les différentes options de chaque côté de l'aire de départ. Il suffit parfois de faire quelques pas vers l'autre côté du départ pour avoir un meilleur angle. Une bonne règle de base consiste à se placer du côté des obstacles mais en s'alignant bien à l'écart. Si vous avez l'habitude de slicer la balle, placez-la du côté droit du départ et alignez-vous vers la gauche du fairway. Si vous tapez droit, pas de problème. Si vous faites un slice un peu plus prononcé, vous irez à droite, mais pas loin du fairway. Et le contraire est vrai pour quelqu'un qui tape en hook.

Souvenez-vous quand même que les obstacles sont relatifs à votre façon de jouer. Si vous avez tendance à rater à droite, vous serez plus ennuyé par un bunker à droite que par un lac à gauche. Mais, même si vous tapez rarement droit, ne vous alignez jamais sur un obstacle en pensant que votre balle va tourner !

L'idée est d'éviter les zones à problèmes. Mais que faire quand il y en a une de chaque côté ? Prenez un club dont vous savez qu'il va envoyer la balle sur le fairway, même s'il s'agit d'un fer cinq et que le trou est long. Vous n'arriverez sans doute pas au green en régulation, mais vous éviterez les coups de pénalité. Et si vous faites deux bons coups après votre coup de départ, vous serez assez près du green pour limiter les dégâts avec votre petit jeu.

Sur cette photo, vous voyez la même aire de départ, mais chacun des côtés offre une perspective différente du trou. Un joueur dont la trajectoire de balle est généralement de droite à gauche aura un meilleur angle depuis la gauche du tee (1), alors que du côté droit (2) la marge d'erreur sera réduite par les arbres de droite.

En approchant du green

Sur les par 4 et 5, le coup envoyant la balle vers le green est théoriquement appelé l'approche, ou "second coup" . Pour réussir, vous devez avoir une bonne notion de la distance qui vous sépare du drapeau. Beaucoup de parcours ont disposé des plaques ou disques de couleur au centre du fairway, indiquant par exemple 200, 150 et 100 mètres du green. Vous trouverez parfois aussi des indications sur des bouches d'arrosage, ou, le plus souvent, des piquets de chaque côté du fairway indiquant 135 mètres du début du green. Demandez avant de jouer un parcours quelle est la procédure, et si les distances sont indiquées par rapport au début ou au milieu du green.

Une fois la distance connue, observez quelle est la position du drapeau par rapport au centre du green. Comme la plupart des greens mesurent au moins trente mètres, il vous faudra ajouter environ dix mètres si le drapeau est placé au fond du green, et enlever dix mètres si le drapeau est placé au début du green. Une fois la distance précisée, prenez en considération les éléments qui vont modifier le vol de la balle, tels que le vent ou les différences de niveau.

Dans le vent

Quand vous jouez dans le vent, vous devez déterminer à quel point vous devrez en tenir compte, en ajoutant ou en retirant de la distance. Vous pouvez négliger un vent inférieur à sept ou huit km/h, mais s'il est supérieur, vous devez ajuster votre sélection de club en conséquence. Il n'y a aucun moyen de mesurer exactement la force du vent, mais l'expérience du golfeur lui apporte quelques éléments de mesure.

- Par exemple, si votre chemise flotte un peu dans le vent et que vos cheveux se décoiffent, le vent est supérieur à dix km/h.
- Observez la vitesse des nuages, tout comme la direction du drapeau et la force qui l'agite.
- Si votre balle doit dépasser la cime des arbres, regardez dans quelle direction et à quel point elle bouge.

Une fois l'analyse faite, ajustez votre choix de club comme suit : pour chaque tranche de quinze km/h de vent, augmentez d'un club si vous jouez contre le vent, diminuez d'autant si vous jouez avec le vent.

Un vent latéral n'est pas vraiment favorable : sur une grande partie de son trajet, la balle va combattre le vent. C'est seulement à son apogée, quand elle va être emportée par le vent, que celui-ci la fera voler davantage. Pour un vent latéral, prenez les deux tiers de ce qu'il faudrait compter pour un vent contraire : si le vent de face est de quinze km/h, considérez que le vent latéral correspond à dix km/h.

Position de la balle et élévation

Considérez d'abord la position de la balle.

- Dans le rough, si l'herbe pousse dans la même direction que votre coup, la balle va jaillir de la tête de club et sans doute couvrir davantage de distance.

Certains parcours indiquent les distances vers le green par des plaques de couleur placées sur le fairway, ou encore sur les bouches d'arrosage. Souvent, des piquets indiquent 135 mètres du début ou du milieu du green.

Par vent *violent*

Pour bien jouer par grand vent, il faut taper solidement la balle. Selon un vieil adage toujours actuel, "quand il y a du vent, joue doucement". Comme vous avez déjà compensé le vent en prenant un club différent, évitez la tentation de taper fort par vent de face. Sinon, vous riquez un mauvais contact avec la balle, qui sera encore plus sensible aux effets du vent. Ayez confiance en votre club et pensez seulement à avoir "un bon contact".

La plupart des joueurs surestiment la force d'un vent latéral et s'alignent vers l'extérieur du green en espérant que le vent ramènera la balle. Comme vous l'avez appris dans "La stratégie au départ" (page 128), ne vous orientez jamais vers un obstacle où une balle toute droite risque d'arriver. Et ne jouez pas vers l'extérieur du green. Vous devez jouer vers l'un ou l'autre des côtés du green, mais ne jamais viser l'extérieur par vent latéral.

Quel que soit le vent, posez votre balle normalement sur le tee, et dans la même position que d'ordinaire. À moins d'être un excellent joueur, modifier sa préparation habituelle aboutit souvent à des déconvenues.

En approchant du green *suite*

■ Si l'herbe pousse en sens contraire, elle va ralentir le club et réduire la distance, prenez un club de plus.

Pour choisir le bon club, vous devez aussi tenir compte de la situation du green, en montée ou en descente. Pour dix mètres de différence de niveau, comptez dix mètres de distance en plus ou en moins, si le green est plus haut ou plus bas que vous.

Position du drapeau

L'emplacement du drapeau a une grande importance sur le type de coup à jouer. Au cours d'une partie, il vous arrivera souvent de ne pas viser le drapeau. Savoir quand il faut attaquer ou jouer la sécurité est l'indice d'un bon joueur.

Drapeau "collé"

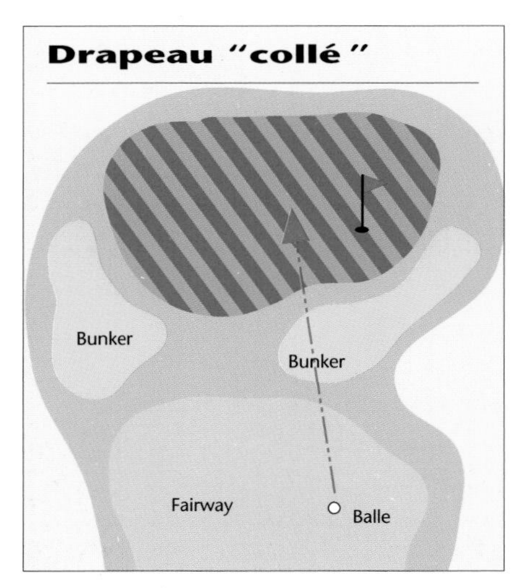

Si un drapeau est placé juste derrière un obstacle, comme ici, jouez la sécurité vers la partie la plus large du green.

Drapeaux "collés"

En langage de golf, lorsqu'un drapeau a été placé derrière un bunker ou un obstacle d'eau, à faible distance du bord du green, on dit qu'il est "collé". Il est alors difficile de placer sa balle tout près du trou sur un coup d'approche, à moins de savoir vraiment bien travailler la balle à la demande. Les joueurs les plus expérimentés s'accordent une certaine marge d'erreur sur ces coups difficiles. Si le drapeau est "collé" à gauche, et que vous savez bien jouer une balle en draw, orientez-vous vers le centre du green et laissez la balle tourner à gauche vers le drapeau. Même si vous tapez droit, la balle sera toujours en jeu.

Drapeau début, milieu, fond de green

Aux États-Unis notamment, de nombreux parcours différencient la couleur des drapeaux suivant qu'ils sont placés au début, au milieu ou au fond du green. D'autres moyens existent pour indiquer la position du drapeau : on notera en particulier de petites boules en plastique, ou de petits drapeaux placés sur la hampe, en bas si le drapeau est au début du green, au milieu si le drapeau est au milieu du green, en haut si le drapeau est au fond du green. Méfiez-vous cependant de ces indications, car les joueurs ont tendance à faire glisser ces repères en replaçant le drapeau. Au départ de certaines compétitions et dans les clubs sérieux, on donne souvent les placements des drapeaux (au mètre près) ou des schémas indicatifs.

Le péché mortel dans ce genre de situation, c'est de viser directement le drapeau. À moins de taper un coup parfait, la marge d'erreur est minuscule. Une balle mal frappée dirigée vers un drapeau aussi attirant termine généralement sa course dans un bunker ou dans le rough, avec très peu d'espace pour le coup suivant entre le bord du green et le drapeau, et donc peu de possibilités d'arrêter la balle près du trou. Quand les drapeaux sont "dans les coins", un joueur intelligent qui connaît ses forces et ses faiblesses visera l'endroit le moins dangereux du green.

Feu rouge, feu orange ou feu vert ?

Voici une bonne manière de classer le type de placement de drapeau que vous pouvez jouer ou non.

- Feu rouge : n'attaquez pas.
- Feu orange : faites attention.
- Feu vert : allez-y.

Évaluez la position du drapeau en fonction des dangers et des conditions de jeu. Si un drapeau est protégé par deux éléments tels qu'un bunker et un vent soufflant en direction du bunker, c'est un drapeau "feu rouge". Ne l'attaquez pas et visez un autre endroit du green.

Si le drapeau est protégé par un seul élément, comme un bunker, vous pouvez viser plus près, mais donnez-vous une marge d'erreur de cinq à six mètres du côté opposé au bunker. Et s'il n'y a aucun danger à proximité, vous avez le feu vert pour attaquer le drapeau.

Bien sûr, tout cela dépend de votre niveau de jeu. Encore une fois, dressez un tableau lucide de vos forces et de vos faiblesses du moment.

Quand le drapeau est protégé par un seul élément dangereux, tel que ce bunker, mettez en œuvre la stratégie "feu orange".

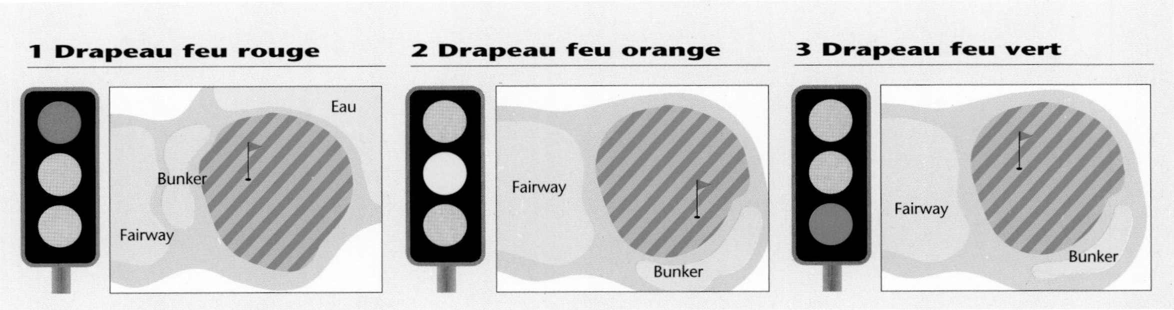

1 Drapeau feu rouge

Eau
Bunker
Fairway

2 Drapeau feu orange

Fairway
Bunker

3 Drapeau feu vert

Fairway
Bunker

Chapitre dix-huit

La première année de golf

Vu de l'extérieur, le golf paraît un jeu très simple mais les premiers parcours peuvent s'avérer très difficiles. Un parcours offre une grande variété de situations, qui exigent des clubs différents, parfois même de modifier sa position et sa posture. Il faut apprendre des règles, observer des coutumes et maintenir un certain rythme de jeu. Toutes ces choses peuvent troubler un débutant. Et bien que ce livre puisse en clarifier certains aspects, il vous faudra du temps pour maîtriser vos talents, apprendre les nuances du jeu et vous sentir vraiment à l'aise sur un parcours.

C'est pourquoi nous vous proposons quelques accommodements à opérer pendant votre première année de golf. Attention, ces suggestions ne respectent pas forcément les règles de golf, et vous devrez y renoncer en prenant de l'expérience. Mais quand on apprend à jouer, il est presque impossible de connaître toutes les règles, de les observer tout en jouant dix-huit trous en quatre heures. Le golf est un jeu complexe et, comme tout ce qui s'apprend, il faut commencer simplement et travailler en progressant vers les difficultés. Si vous commencez votre carrière de golf en suivant toutes les règles, c'est comme si vous appreniez l'algèbre avant les tables de multiplication.

Une fois à l'aise sur le parcours, commencez à vous familiariser avec les règles de golf. Elles sont essentielles au jeu et on ne peut jouer vraiment au golf sans les observer strictement.

Vos premiers parcours

Si possible, essayez de jouer vos premiers parcours avec quelqu'un d'expérimenté. Peu importe que vous ne jouiez pas aussi bien, vous êtes débutant et c'est une bonne excuse. Vous pouvez aussi prendre une leçon sur le parcours avec un professeur. Dans les deux cas, quelqu'un pourra répondre à vos questions et vous expliquer le parcours.

Avec des débutants

Si vous décidez de jouer votre premier parcours avec des golfeurs novices, préparez-vous en conséquence. D'abord, réservez un départ au moment où le parcours est le moins encombré, car vous allez certainement prendre plus de temps que les golfeurs aguerris. Ensuite, essayez de regarder un peu de golf à la télévision. Vos coups ne ressembleront certainement pas à ceux des professionnels, mais vous verrez comment ils se comportent sur le parcours et vous observerez les conditions de jeu prêtant à commentaires. Plus important, ayez au moins pris une leçon ou passé un peu de temps productif au practice avant de vous aventurer sur le parcours.

Le premier départ

Même pour les joueurs expérimentés, le premier départ est dur pour les nerfs. Il est souvent en vue du club-house et vous allez "sentir" quelques regards sur vous. La réaction habituelle est de se précipiter. Ralentissez plutôt, évaluez votre objectif, et faites votre routine avant de jouer. Vous augmenterez vos chances de réussite. Si vous ratez vraiment le premier drive, il arrive souvent de "prendre un mulligan", c'est-à-dire de jouer une seconde balle. Les "mulligans" n'existent pas dans les règles, ils sont réservés aux parties amicales, si vous ne retardez personne.

Mieux placer la balle

Particulièrement lors de vos premiers parcours, sortez votre balle des situations difficiles (rough épais, sol dur, stances délicats) et placez-la en meilleure position. Si quelqu'un vous dit que vous n'avez pas le droit, expliquez que vous essayez d'apprendre les coups faciles avant de vous attaquer aux plus difficiles et que vous ne jouez pas encore pour un score officiel. Il n'est pas raisonnable d'essayer de sortir une balle d'un rough profond si vous ne savez déjà pas bien jouer sur le fairway.

Spécialement au cours de vos premiers parcours, dégagez vos balles de situations comme celle-ci et placez-les en situation plus favorable.

Avancez-vous

Si vous envoyez votre balle à quelques mètres seulement du départ, ramassez-la, et allez la jouer depuis l'endroit où sont les autres joueurs de votre partie sur le fairway. Pendant vos premières parties, vous allez taper plusieurs mauvais coups à la suite. Au lieu de vous inquiéter de retarder les autres joueurs, ramassez votre balle, reprenez vos esprits et recommencez après que vos partenaires ont joué.

Une autre *balle*

Prendre un "mulligan" se pratique parfois en partie amicale mais seulement au premier départ. Vous devrez ensuite l'oublier, pour différentes raisons. D'abord, cela prend du temps et, en tant que débutant, vous aurez déjà du mal à suivre le rythme du jeu sans même taper de deuxième balle. Ensuite, comme le golf est un jeu social, les autres membres de votre partie doivent aussi jouer, et taper une autre balle signifie qu'ils vont vous attendre. Enfin, le green-keeper n'apprécierait pas un divot supplémentaire.

La plupart des clubs regardent de travers ceux qui considèrent le parcours comme un practice. Par ailleurs, nous vous avons conseillé d'assouplir les règles pour rendre votre première année de golf plus facile, mais l'un des principes essentiels du golf est le fait d'accepter ses erreurs. Taper une deuxième balle est non seulement contraire à la nature du jeu, mais aussi une mauvaise habitude.

pour votre *sécurité*

- Ne vous placez jamais devant un golfeur prêt à jouer.
- Bloquez la pédale de frein d'une voiturette de golf avant de la quitter. Si vous ne savez pas comment faire, demandez à la personne qui vous remet la clef, avant de partir.
- Quand votre balle est dans les bois, souvenez-vous qu'elle peut rebondir sur un arbre et revenir sur vous. Mesurez toujours le risque par rapport à votre niveau et jouez le coup le moins dangereux. Avertissez vos partenaires pour qu'ils se méfient aussi des éventuels ricochets.
- Si vous cherchez votre balle le long d'un obstacle d'eau, dans un bois ou dans une zone rocailleuse, méfiez-vous des serpents. Il est toujours bon d'avoir un fer à la main en cas de rencontre inopinée. Si vous jouez dans des régions tropicales, faites aussi attention aux alligators.

Règles générales et sécurité

Sur les greens

Les débutants font parfois du zèle avec les règles qu'ils connaissent, en particulier continuer à putter jusqu'à ce que la balle soit dans le trou. Mais si vous avez déjà fait quatre ou cinq putts, ramassez votre balle. Avant de putter sur le green suivant, réfléchissez à ce qui n'a pas été sur le green précédent. Si vous avez joué trop court ou trop long, ajustez votre force en conséquence. Ne faites pas plus de huit coups sur le fairway, puis amenez votre balle sur le green et puttez, mais pas plus de trois putts.

Le par du débutant

Le par est la norme pour un joueur expert. Au cours de votre première année de golf, vous devez vous fixer des objectifs à votre portée. Par exemple, notez le par d'un trou, disons un par 4, et essayez d'arriver sur le green en quatre coups. Ajoutez ensuite la norme de deux putts pour définir votre propre par, 6. Quand vous atteindrez régulièrement vos objectifs, affinez-les en atteignant le green en un coup de moins.

Voiturettes de golf

Soyez très prudent avec les voiturettes de golf, plus encore qu'avec votre propre voiture. Un virage brutal à pleine vitesse peut la renverser, et les montants du toit sont une bien faible protection. Faites attention aussi sur les pentes accentuées ou humides, et gardez toujours les bras et les pieds à l'intérieur du véhicule.

Engagez toujours le frein de parking pour ne pas retrouver la voiture dans un obstacle.

Les règles du néophyte

Il est essentiel d'apprendre les règles et de les appliquer. Voici quelques-unes parmi les plus fréquemment rencontrées. L'ensemble des règles est beaucoup plus complexe et ce qui suit n'est qu'un résumé (voir aussi le chapitre quatorze, page 168).

- La règle de base, c'est que l'on joue la balle où elle se trouve, vous ne devez donc jamais modifier sa position sauf dans certaines conditions. Une fois sur le green, les règles vous permettent de relever et de nettoyer votre balle une fois que vous en avez marqué l'emplacement, avec une pièce ou un marque-balles.
- Quand la balle est dans un bunker, vous ne devez pas toucher le sable avec votre club sauf au moment de la descente. À l'adresse, conservez la tête de club au-dessus du sable. Et si votre balle se trouve juste à l'intérieur d'un obstacle d'eau,

vous pouvez la jouer, mais, comme dans le bunker, votre club ne doit pas toucher l'eau à l'adresse.

■ En général, quand la balle entre dans un obstacle d'eau, vous ne pouvez pas la jouer. Vous devez ajouter un point de pénalité à votre score et dropper une balle selon les règles. Commencez par identifier dans quel type d'obstacle d'eau vous avez pénétré. Un obstacle d'eau latéral longe généralement le trou et est matérialisé par des piquets rouges. Les règles vous offrent plusieurs options, mais la plus fréquente est de dropper une balle à moins de deux longueurs de club de l'endroit où la balle a franchi la limite de l'obstacle. Un obstacle d'eau normal est généralement frontal et matérialisé par des piquets jaunes. Vous pouvez notamment dropper une balle en arrière à une distance aussi grande que vous voulez, dans le prolongement d'une ligne formée par le drapeau et le point où votre balle a franchi la limite de l'obstacle.

■ Quand votre balle est "hors-limites", zone extérieure aux limites du terrain et matérialisée par des piquets blancs, vous n'avez pas le droit de la jouer où elle repose. Vous devez rejouer une balle depuis l'endroit d'où vous avez envoyé cette balle hors-limites et ajouter un point de pénalité à votre score. Par exemple, si vous envoyez votre coup de départ hors-limites, tapez une autre balle du départ et comptez le score comme suit : un coup pour le premier drive, un point de pénalité pour le hors-limites et un coup pour le second drive, c'est-à-dire trois. C'est la même procédure pour une balle perdue.

■ Vous trouverez les règles de golf dans la plupart des clubs. Sinon, demandez que l'on vous en commande un exemplaire. Tout comme le golf lui-même, vous apprendrez plus facilement les règles si vous en comprenez d'abord les bases et prenez un peu de temps pour étudier les détails.

Les règles de golf gouvernent le jeu sur l'ensemble du parcours.

Comment
s'habiller

Bien que le golf soit un sport, les vêtements de golf sont différents des autres vêtements de sport. Les joueurs "s'habillent" pour le golf et, en plus de ce code, ce sont généralement des gens bien élevés. Plus le club est exclusif et privé, plus un habillement traditionnel est conseillé. Pour les femmes, l'habillement standard est le bermuda ou un "short long", une chemisette avec col, et des chaussures de golf. Si vous n'avez pas encore ce genre de chaussures, portez-en qui soutiennent bien le pied, mais avec semelles souples et sans talon. Vous ne devez jamais marcher sur un green avec des chaussures à talon car cela risque d'endommager cette surface fragile. Les jeans, les shorts courts et chemises sans col (les T-shirts par exemple) sont pratiquement interdits dans tous les golfs.

Glossaire

Abaisser les mains
C'est l'action de descendre les mains sur le grip par rapport à leur position normale, pour effectuer un demi-coup ou quand la balle est dans une pente, plus haut que les pieds.

Adresse (hors d'un obstacle)
Se mettre en position et poser le club derrière la balle juste avant de commencer le swing.

Albatros
Trois coups de moins que le par : trou-en-un sur un par 4 ou deux coups sur un par 5. Rarissime.

Approche
Coup dirigé vers le green après un drive sur un par 4 ou 5. Terme également utilisé pour qualifier les coups de petit jeu vers le green ("une petite approche").

Balle (position)
À l'adresse, votre balle est placée sur une ligne imaginaire qui s'étend jusqu'à l'objectif, sa position est définie par rapport aux pieds.

- Si la balle est "en arrière du stance", elle est proche du pied droit, plus loin de l'objectif.
- Si la balle est "en avant du stance", elle est plus proche du pied gauche et de l'objectif.

Bascule (swing en)
Forme de swing où le poids est revenu à gauche au lieu d'être à droite en haut du backswing, et repart à droite et non pas à gauche à la traversée et au finish.

Birdie
Un coup de moins que le par.

Bord d'attaque
L'arête frontale de la semelle du club, le bord tranchant qui arrive en premier sur la balle.

Bord de green
Appellée parfois avant-green, cette zone en bordure du green est généralement tondue comme le fairway.

Boules (de départ)
Objets posés de part et d'autre de l'aire de départ pour indiquer la limite avant du départ. Les différentes couleurs de boules correspondent à différentes catégories de joueurs pour définir différentes longueurs : boules rouges pour les dames, bleues pour les dames de première série, jaunes pour les messieurs, blanches pour les messieurs de première série.

Bogey
Un coup de plus que le par sur un trou donné. Le double bogey représente deux coups de plus que le par sur un trou. Ensuite, triple bogey, quadruple, etc.

Bois
Nom donné aux clubs dont la tête était autrefois en bois. Les "bois" sont aujourd'hui en métal ou matériaux composites. On les appelle alors bois métal.

Chandelle
Balle qui part très haut et ne va pas loin, généralement frappée au départ avec le sommet du driver où elle peut laisser des marques honteuses.

Chip
Balle de trajectoire basse jouée à quelques mètres du green, et qui va rouler jusqu'au trou (comparer avec Pitch).

Club de moins (prendre un)
Choisir un club plus ouvert que normalement en raison de la situation ou du vent : exemple, prendre fer huit au lieu de sept.

Club de plus (prendre un)
Choisir un club moins ouvert que normalement en raison de la situation ou du vent : exemple, prendre fer six au lieu de fer sept.

Divot (ou escalope)
C'est la motte de terre et

d'herbe enlevée par un fer sur le parcours ou un départ. Cette "escalope" doit être remise en place et nivelée avec le pied.

Dogleg

C'est la forme "en patte de chien" de certains trous de golf, qui tournent de droite à gauche (dogleg gauche) ou de gauche à droite (dogleg droite).

Donner

Sur le green, lorsqu'une balle est si près du trou que l'adversaire ne risque pas de le manquer ensuite, on lui "donne" le coup suivant. C'est une pratique en match play ou en partie amicale, mais interdite en compétition par coups (stroke play ou stableford par exemple), où l'on doit jouer jusqu'à ce que la balle soit entrée dans le trou.

Douille

Extension tubulaire de la tête de club où est fixé le manche.

Drapeau

Le trou dans le green est matérialisé par un drapeau qui en indique l'emplacement. Il doit être retiré ou pris en charge par le caddie ou un partenaire de jeu quand on putte sur le green.

Draw

Trajectoire de balle qui s'incurve légèrement de droite à gauche.

Drive

Lorsque l'on joue un par 4 ou un par 5, le coup de départ est appelé "drive", même s'il l'on a joué un fer ou un autre bois que le driver.

Eagle

Deux coups de moins que le par. Un trou-en-un sur un par 3 est un eagle.

Étiquette

C'est le premier chapitre du recueil des règles de golf, qui concerne le comportement avec les autres golfeurs et le respect du parcours.

Fade

Trajectoire de balle s'incurvant légèrement de gauche à droite.

Fairway

Partie du parcours tondue ras qui mène directement du départ jusqu'au green.

Fermé

Quand on parle du club, une face orientée à gauche de l'objectif est dite "fermée". Quand on parle du corps, lorsque les pieds, les hanches, les épaules sont orientés à droite de l'objectif, on dit que le corps est "fermé".

Fers

Clubs ainsi définis par la nature du matériau dont ils étaient autrefois constitués. Ils produisent des trajectoires progressivement de plus en plus hautes et plus courtes, du fer un aux wedges.

Flexion du manche

Pendant le swing, le manche du club fléchit sous l'effet du mouvement. Cette flexion est intensifiée à la descente. Les manches existent en différentes flexions, du plus raide (extra stiff) au plus souple. Ils doivent être exactement adaptés à votre swing.

Fore !

Cri d'avertissement à d'autres joueurs quand la balle risque de les atteindre.

Foursome

Un groupe de quatre joueurs (une "partie de quatre"), mais aussi une formule de jeu à deux, où l'on joue une seule balle alternativement.

Gratte

Taper le sol avant la balle, qui ne va généralement pas bien loin. Ce coup produit souvent un gros "divot" (voir ce mot).

Green

Surface de putting tondue très ras, où est placé le drapeau.

Green en régulation

Green atteint en un coup sur un par 3, deux coups sur un par 4, trois coups sur un par 5.

Green-fee

Droit de jeu sur le parcours d'un golf dont on n'est pas membre.

Handicap

C'est l'évaluation du niveau de jeu. Il est calculé par ordinateur en fonction du nombre de vos coups au-dessus du par. On parle aujourd'hui d'index, exprimé avec des virgules. Exemple : "Mon index est de 28, 7..." (voir page 178).

Heure de départ

C'est l'heure que l'on vous attribue lorsque vous réservez un départ ou lors d'une compétition. Elle doit être absolument respectée.

Honneur (avoir l')

C'est le droit de taper en premier au départ parce que l'on a réalisé le meilleur score sur le trou précédent.

Hook

Trajectoire de balle fortement incurvée de droite à gauche.

Jeu lent

C'est la plaie du golf moderne. Aucun parcours ne vous appartient : lorsque vous avez perdu le "contact" avec la partie précédente, il est conseillé de laisser passer la partie suivante. Ceux qui "ne laissent pas passer" et bloquent les autres parties sont généralement considérés comme des individus mal élevés.

Laisser passer (voir Jeu lent)

Lorsqu'une partie est plus lente, on conseille formellement aux joueurs de laisser passer la partie suivante, en lui faisant signe du bras, et en se rangeant sur le côté, en sécurité.

Lie

C'est l'angle plus ou moins vertical formé par le manche avec la tête de club, mesuré au milieu du manche. Mais il y a deux significations possibles :

- La façon de reposer sur le sol de la tête de club. Si la pointe est relevée, le "lie" est dit trop vertical (ou "upright"), si le talon est relevé, le "lie" est dit trop plat (ou "flat"). À l'adresse, la pointe doit être légèrement relevée.
- L'état du terrain où la balle repose.

Ligne de jeu

C'est la ligne imaginaire reliant votre balle à votre objectif.

Links

Parcours de golf construit en bord de mer dans les étendues sablonneuses séparant l'eau des terres cultivables. Se dit plus improprement de tout golf.

Lob wedge

C'est un sand wedge avec une face très ouverte (environ 60°) permettant de beaucoup monter la balle, sans la faire beaucoup rouler.

Loft

Voir "Ouverture"

Marque

C'est un objet tel qu'une pièce de monnaie qui indique l'emplacement de la balle sur le green. C'est aussi une demande d'un joueur à un autre pour qu'il relève sa balle parce qu'elle est dans sa trajectoire : "marque ta balle, s'il te plaît".

Ouvert

- Si on parle du club, il est "ouvert" quand il est orienté à droite de la cible.
- Si on parle du corps, il est "ouvert" quand les pieds, les hanches et les épaules sont orientés à gauche de l'objectif.

Ouverture (loft)

C'est l'angle formé par la face de club avec le sol. Plus celle-ci regarde vers le ciel, plus la face est "ouverte".

Net

Score final lorsque l'on a ôté le handicap du score brut.

Obstacle

Zone du parcours strictement définie par les règles, et généralement constituée de sable ou d'eau.

Ordre de jeu

Au départ, celui qui a fait le meilleur score sur le trou précédent tape en premier, on dit qu'il a "l'honneur". Sur le fairway, le joueur le plus loin du green joue en premier. Sur le green, le joueur le plus éloigné du trou putte le premier.

Par

Nombre de coups théoriquement exécutés par un joueur expert pour terminer un trou. Le total des pars de chaque trou donne le par total du parcours.

Partie

Avec les joueurs partis avec vous, vous constituez une partie. "La partie devant nous n'avance pas... "

Petit jeu

Partie du jeu considérée par les meilleurs joueurs comme la plus importante. Elle comprend le chipping, le putting, le pitching et les sorties de bunker.

Pitch

Se dit d'un coup levé exécuté près d'un green. Se dit aussi de la marque d'impact laissée par une balle sur un green, et qu'il faut impérativement réparer avec un tee ou un relève-pitch.

Placer la balle (voir Relever...)

Lorsque l'on applique les règles d'hiver, on peut "placer la balle" en la déplaçant juste à côté, sur un endroit plus favorable du fairway. Cette règle locale peut aussi s'appliquer lorsqu'un fairway est en mauvais état, lorsqu'il est très mouillé, ou très haut parce qu'il n'a pu être tondu. Faute d'indication expresse, on ne place jamais la balle.

Pointe

Extrémité de la face de club la plus éloignée de la douille.

Porter la balle

Se dit de la trajectoire en vol de la balle, du départ jusqu'au point d'atterrissage. Se dit également de la nécessité de franchir une certaine distance, quand vous êtes séparé de votre cible par des obstacles tels que de l'eau, des bunkers ou du rough épais. Vous devez alors "porter la balle sur X mètres".

Pull

Trajectoire de balle partant en ligne droite, mais directement à gauche de l'objectif.

Push

Trajectoire de balle partant en ligne droite, mais directement à droite de l'objectif.

Rateau

Disposé auprès d'un bunker, il permet d'effacer ses traces de pas dans le sable après avoir joué. Il est vivement recommandé de l'utiliser, au moins par respect pour les autres...

Relever, nettoyer et placer la balle (voir Placer...)

Dans certaines conditions, les règles de golf ou les règles locales peuvent vous autoriser à relever la balle (en marquant son emplacement avec un tee, par exemple), à la nettoyer et à la replacer. Normalement, la balle est jouée où elle se trouve et vous n'avez pas le droit de la toucher (sauf sur le green), mais si le parcours est très mouillé par exemple, cette règle peut être mise en application.

Réservation

Acte nécessaire si l'on veut être certain de prendre un départ.

Rough

Partie du parcours de chaque côté du fairway où l'herbe est plus haute. On peut trouver un semi-rough (pas très haut), un rough (plus haut) et un grand rough (la savane).

Scratch

Joueur dont le handicap est de zéro.

Socket

Coup meurtrier pour le mental du joueur, où la balle est frappée avec un fer à hauteur de la douille et part presqu'à angle droit sans aucun contrôle. Avec un bois, le même type de coup est "talonné" et part au contraire à gauche, "dans les pieds".

Top (ou toppée)

Se dit d'une balle que l'on frappe au niveau de son équateur avec le bord d'attaque du club ; elle part en général assez bas et roule beaucoup. Un top peut devenir une "fusée" quand la balle traverse tout le green à grande vitesse...

Slice

Balle violemment incurvée de gauche à droite. C'est le coup favori de 80 pour cent des joueurs du dimanche.

Starter

Avant de commencer un parcours, vous verrez souvent le starter au départ. Il vérifie les green-fees ou l'appartenance au club, et régule les départs en fonction des réservations.

Stroke play

Formule où l'on compte tous les coups joués sur chaque trou, le total constituant le "score".

Talon

Partie de la face de club la plus proche du manche.

Tee

Petit support en plastique ou (de préférence) en bois que l'on enfonce sur le départ pour surélever la balle. Par extension, se dit aussi de l'aire de départ.

Tenir la balle

Se dit d'un green où la balle s'arrête assez facilement : "ce green tient bien la balle."

Top

Balle pas très bien frappée, un peu au-dessus de son équateur, qui part en général assez bas et roule beaucoup. Peut être fait volontairement dans un bunker de fairway.

Trou-en-un

Quand la balle va directement dans le trou. Se produit généralement sur un par 3 et donne lieu à une tournée générale.

Waggle

Léger mouvement des mains et des bras effectué à l'adresse, permettant de se décontracter avant de frapper.

Whippy

Se dit d'un club dont le manche est trop souple.